HERMENÊUTICA

Dados Internacionais de Catalogação na Publicação (CIP)
(Câmara Brasileira do Livro, SP, Brasil)

Lund, Eric, 1852-1933
    Hermenêutica: princípios de interpretação das Sagradas Escrituras / E. Lund, P. C. Nelson; tradução Etuvino Adiers. — 2. ed. rev. e atual. — São Paulo: Editora Vida, 2006.

    Título original: *Hermenéutica: Reglas de Interpretación de las Sagradas Escrituras*
    ISBN 85-7367-165-3
    ISBN 978-85-7367-956-4

    1. Bíblia — Comentários 2. Bíblia — Crítica e interpretação 3. Bíblia — Estudo e ensino 4. Bíblia — Hermenêutica — Metodologia 5. Bíblia — Leitura I. Nelson, Peter Christopher, 1868-1942. II. Título.

06-2450   CDD-220.601

Índices para catálogo sistemático:
1. Hermenêutica bíblica 220.601

E.LUND & P.C.NELSON

HERMENÊUTICA

PRINCÍPIOS DE INTERPRETAÇÃO
DAS SAGRADAS ESCRITURAS

2. edição revista e atualizada

Vida

Editora Vida
Rua Conde de Sarzedas, 246 — Liberdade
CEP 01512-070 — São Paulo, SP
Tel.: 0 xx 11 2618 7000
atendimento@editoravida.com.br
www.editoravida.com.br
@editora_vida /editoravida

Editor responsável: Sônia Freire Lula Almeida
Editor-assistente: Gisele Romão da Cruz
Tradução: Etuvino Adiers
Edição: Jefferson Rodrigues e Marco Aurélio de Queiroz
Revisão: Patrícia Murari e Tatiane Souza
Revisão do Acordo Ortográfico: Equipe Vida
Diagramação: Claudia Fatel Lino
Capa: Souto Design

HERMENÊUTICA
© 1966, de Eric Lund e P. C. Nelson
Título original: *Hermenéutica:*
Reglas de Interpretación de las Sagradas Escrituras

Todos os direitos desta edição em língua portuguesa
reservados e protegidos por Editora Vida pela
Lei 9.610, de 19/02/1998.

É proibida a reprodução desta obra por quaisquer meios
(físicos, eletrônicos ou digitais), salvo em breves citações,
com indicação da fonte.

∎

Exceto em caso de indicação em contrário,
todas as citações bíblicas foram extraídas de
Nova Versão Internacional (NVI)
© 1993, 2000, 2011 by International Bible Society, edição
publicada por Editora Vida. Todos os direitos reservados.

Todas as citações bíblicas e de terceiros foram adaptadas
segundo o Acordo Ortográfico da Língua Portuguesa,
assinado em 1990, em vigor desde janeiro de 2009.

∎

As opiniões expressas nesta obra refletem o ponto de vista
de seus autores e não são necessariamente equivalentes às
da Editora Vida ou de sua equipe editorial.

Os nomes das pessoas citadas na obra foram alterados nos
casos em que poderia surgir alguma situação embaraçosa.

Todos os grifos são do autor, exceto indicação em
contrário.

2. edição: 2007
1ª *reimp.*: out. 2008
2ª *reimp.*: maio 2009
3ª *reimp.*: jul. 2011 (Acordo Ortográfico)
4ª *reimp.*: jul. 2012
5ª *reimp.*: set. 2015
6ª *reimp.*: jul. 2016
7ª *reimp.*: mar. 2017
8ª *reimp.*: jan. 2018
9ª *reimp.*: mar. 2020
10ª *reimp.*: ago. 2021
11ª *reimp.*: maio 2023

Esta obra foi composta em *Adobe Garamond*
e impressa por Gráfica Patras sobre papel
Pólen Natural 80 g/m² para Editora Vida.

Sumário

Apresentação 7

1. Hermenêutica: a importância de seu estudo... 9
2. Disposição necessária para o estudo proveitoso das Escrituras........................... 17
3. Observações gerais sobre a linguagem bíblica 25
4. Regra fundamental 31
5. Primeira regra 37
6. Segunda regra 43
7. Terceira regra 49
8. Quarta regra 58
9. Quinta regra: primeira parte 68
10. Quinta regra: segunda parte..................... 77
11. Quinta regra: terceira parte...................... 82
12. Repetição e observações 88

13. Figuras de retórica: primeira parte 94
14. Figuras de retórica: segunda parte 102
15. Figuras de retórica: terceira parte 112
16. Figuras de retórica: quarta parte.............. 129
17. Hebraísmos 143
18. Palavras simbólicas................................... 155

Apresentação

Hermenêutica: princípios de interpretação das Sagradas Escrituras tem sido uma ferramenta essencial na intrigante tarefa de interpretação bíblica. Para os países de língua portuguesa, este livro é um presente.

O autor desta obra, o dr. Lund, é considerado o mais produtivo e influente mestre de estudos bíblicos em língua castelhana. Além de ser conhecido pela erudição e por sua produção intelectual de valor inestimável, esse emérito professor dominava outros seis ou sete idiomas europeus, sem contar as línguas clássicas em que a Bíblia foi escrita. Em fase posterior de sua vida, durante obra missionária nas Filipinas, o dr. Lund estudou vários idiomas e dialetos daquele arquipélago. Assim, ele traduziu todo o texto da Bíblia para o panaiano, bem como o Novo Testamento para os dialetos cebu e samar.

Temos certeza de que este livro foi e continua sendo verdadeira bênção para todos aqueles que o estudam: de pastores a evangelistas, de pesquisadores a cristãos com interesse e amor pelos estudos bíblicos.

A Editora

1
Hermenêutica: a importância de seu estudo

Uma das primeiras ciências que o pregador deve conhecer é, sem dúvida, a hermenêutica. No entanto, há muitos pregadores que nem sequer conhecem esse termo! Então, o que é hermenêutica? O dicionário diz que é "a arte de interpretar textos". Todavia, a hermenêutica (do grego *hermeneia*, interpretação) da qual nos ocuparemos aqui faz parte da teologia exegética, que trata da reta explanação e da interpretação da Bíblia.

No Novo Testamento, lemos que o apóstolo Pedro "escreve da mesma forma em todas as suas cartas, falando nelas destes assuntos. Suas cartas contêm algumas coisas difíceis de entender, as quais os ignorantes e instáveis torcem, como também o fazem com as demais Escrituras [as do at], para a própria destruição deles" (2Pe 3.16). E para maior desgraça e calamidade, quando tais pessoas ignorantes dos conhecimentos hermenêuticos se apresentam como eruditos, desvirtuando as Escrituras para provar seus erros, arrastam com eles multidões à perdição.

Esses tolos, pretensos doutores eclesiásticos, sempre acabam constituindo-se em hereges ou falsos, desde os falsos profetas da Antiguidade até os papistas da Era Cristã, bem como os *eddiitas* e russelitas dos dias de hoje. Qualquer pregador que desconhecer essa importante ciência se verá muitas vezes confuso e cairá facilmente no erro de Balaão e na contradição de Corá (Jd 11).

A arma principal do soldado de Cristo é a Bíblia, e se ele desconhece o valor das Escrituras e ignora seu uso legítimo, que tipo de soldado vai ser? Não existe livro mais perseguido pelos inimigos nem mais torturado pelos amigos que a Bíblia, isso por causa do desconhecimento dos princípios sadios de interpretação. Mas isso, irmãos, não deve ser assim. Essa dádiva do céu não nos veio para que cada indivíduo a utilize à vontade, conforme o próprio gosto, mutilando-a, usando subterfúgios ou distorcendo-a para a própria perdição.

É importante lembrar que as muito variadas circunstâncias, as quais contribuíram para a produção do maravilhoso livro, requerem de seu expositor um estudo detido e constante, "conforme a ciência", tal como ditam os princípios da hermenêutica.

Acerca da instrução dos autores bíblicos, "os santos homens de Deus", que falaram sempre "inspirados pelo Espírito Santo", encontramos pessoas de educação bem diversa: sacerdotes como Esdras; poetas feito Salomão; profetas tal qual Isaías; guerreiros como Davi; pastores como, por exemplo, Amós; estadistas tal qual foi Daniel. Dentre os sábios, como não falar de Moisés e Paulo; e dentre os "pescadores, homens sem letras", pessoas tão simples como Pedro e João. Desses, alguns formulam leis, seguindo o modelo de Moisés, outros escrevem histórias, como Josué. Alguns também escrevem salmos, como Davi; outros, provérbios, tal qual Salomão. E ainda profecias, feito Jeremias; biografias e cartas, como o fizeram, respectivamente, os evangelistas e os apóstolos.

Acerca do tempo, o período de Moisés se dá quatro séculos antes do cerco de Troia e três séculos antes de aparecerem os mais antigos sábios da Grécia e da Ásia, como Tales, Pitágoras e Confúcio. Já o último autor bíblico, João, viveu cerca de 1.500 anos depois de Moisés.

Acerca do lugar, os textos bíblicos foram escritos em lugares tão diferentes como o são o centro da Ásia, as areias da Arábia, os desertos da Judeia, os pórticos do templo, as escolas dos profetas em Betel e Jericó, os palácios da Babilônia, as margens do Quebar e em meio à civilização ocidental, tomando-se as figuras, símbolos, expressões dos usos, costumes e cenas, oferecidos por essa diversidade de locais. Os autores bíblicos foram plenamente inspirados, mas não de tal modo que se tornasse desnecessário o mandamento de esquadrinhar as Escrituras e se desconsiderasse tamanha variedade de pessoas, assuntos, épocas e lugares. Naturalmente, essas circunstâncias tiveram influência por certo, não na verdade divina expressa na linguagem bíblica, mas na própria linguagem de que se ocupa a hermenêutica. Portanto, é necessário que elas sejam compreendidas pelo pregador, pelo intérprete e pelo expositor bíblico.

Um exame breve e geral da linguagem nos mostrará, de forma mais evidente, a grande necessidade do conhecimento da interpretação salutar para o estudo proveitoso das Sagradas Escrituras. Por exemplo, certos doutos que vivem sempre "incomunicáveis", com respeito à linguagem bíblica, consideram tal linguagem ofensiva ou incompatível com seu ideal imaginário de revelação divina — tudo isso em razão da superabundância de toda espécie de palavras e expressões figuradas e simbólicas presentes nas Escrituras. Algum conhecimento de hermenêutica igualmente os livraria dessa dificuldade e os convenceria de que tal linguagem não apenas é a divina por excelência, como também é a mais científica e literária.

Um famoso cientista costumava insistir com seus colaboradores na disciplina para que *encarnassem o invisível* porque, conforme dizia, "tão somente deste modo podemos conceber a existência do invisível operando sobre o visível". Todavia, essa ideia da ciência moderna é mais antiga que a própria Bíblia, visto que, em verdade, foi Deus o primeiro que encarnou os seus pensamentos invisíveis nos objetos visíveis do Universo, revelando-se a si mesmo.

> Pois desde a criação do mundo os atributos invisíveis de Deus, seu eterno poder e sua natureza divina, têm sido vistos claramente, sendo compreendidos por meio das coisas criadas (Rm 1.20).

Portanto, aqui está o Universo visível, tomado como gigantesco dicionário divino, repleto de inumeráveis palavras que são os objetos visíveis, vivos e mortos, ativos e passivos, expressões simbólicas das suas ideias invisíveis. Assim, nada mais natural que, ao inspirar as Escrituras, ele se valha do seu próprio dicionário, levando-nos por meio do visível ao invisível, pela encarnação do pensamento ao próprio pensamento; pelo objetivo ao subjetivo, pelo conhecido e familiar ao desconhecido e espiritual.

Todavia isso não apenas foi natural, mas absolutamente necessário, em vista de nossa condição atual, uma vez que as palavras exclusivamente espirituais ou abstratas pouco ou quase nada dizem ao homem natural. Deus tem levado em conta esta nossa condição. Assim, não devemos estranhar que, a fim de elevar-nos à concepção possível do céu, ele utilize figuras ou semelhanças tomadas das cenas gloriosas da terra; nem devemos estranhar que, para elevar-nos à concepção possível da sua própria pessoa, ele se sirva do que foi a "coroa da criação", apresentando-se como ser corporal semelhante a nós. É importante dizer que para a correta compreensão da verdade, tanto em símbolo e figura, pela necessidade humana, são necessários meditação e estudo profundo.

A esta altura, é preciso observar, porém, que as chamadas expressões figurativas ou simbólicas não se devem apenas à natureza da verdade espiritual, à maravilhosa relação entre o invisível e o visível, mas também ao fato de que se trata de linguagem mais apropriada, por ser bastante formosa e expressiva.

A linguagem figurada conduz ideias à mente com muito mais vivacidade que a descrição prosaica, ou comum. Encanta e recria a imaginação e, ao mesmo tempo, instrui a alma e fixa a verdade na memória, agradando ao coração. Como se enganam os que imaginam que a Bíblia, para ser revelação divina, deveria estar escrita no estilo da aritmética ou geometria! *Pela sua sabedoria*, Deus não tem enlouquecido a sabedoria do mundo?

Portanto, em resumo, é importante lembrar que as Sagradas Escrituras — tratando de temas que abrangem o céu e a terra, o tempo e a eternidade, o visível e o invisível, o material e o espiritual — foram produzidas por pessoas de tão variada natureza, em épocas tão remotas, países tão distantes entre si, em meio a povos e costumes tão diferentes e em uma linguagem tão simbólica, que facilmente se perceberá a seguinte verdade: para o reto discernimento e compreensão de tudo, é de extrema necessidade todo o conselho e auxílio que a hermenêutica é capaz de nos oferecer.

PERGUNTAS

1. Que é hermenêutica?
2. Para onde leva o fato de ignorá-la?
3. Por que existem os falsários e hereges?

4. Para que nos foram dadas as Escrituras?

5. Que circunstâncias, na produção das Escrituras, tornam necessário o estudo da hermenêutica?

6. Por quem, sobre qual assunto e em que épocas e lugares a Bíblia foi escrita?

7. De que maneira tais circunstâncias requerem conhecimentos hermenêuticos?

8. Por que razões certos eruditos negam a inspiração divina da Bíblia?

9. De que maneira científica se revela o invisível? Quais são o plano e também o procedimento divinos nesse caso?

10. Por que foi necessário o uso de linguagem figurada na revelação, do ponto de vista humano?

11. Por que outra razão a linguagem bíblica é mais apropriada, ou conveniente, para a humanidade?

12. Em resumo: por que é de extrema importância o conhecimento da hermenêutica para a boa compreensão da Bíblia?

Nessa atividade, separe um caderno para as respostas. Estude a lição e depois responda às questões sem consultar o texto.

2
Disposição necessária para o estudo proveitoso das Escrituras

Do mesmo modo que é necessário ter um sentido especial para o belo e poético a fim de apreciar devidamente a poesia, bem como é preciso ter um espírito filosófico para o estudo da filosofia, igualmente é da maior importância uma disposição singular para o estudo proveitoso das Sagradas Escrituras. Como é possível a alguém irreverente, inconstante, impaciente, imprudente, estudar e interpretar adequadamente um livro tão profundo e altamente espiritual como a Bíblia? Sem dúvida, tal pessoa julgaria o conteúdo dele como o cego o faria em relação às cores. Portanto, para o estudo e boa compreensão da Bíblia necessita-se, pelo menos, de um espírito respeitoso e dócil, amante da verdade, paciente e munido de prudência.

É necessário *espírito respeitoso*. Por exemplo, que importância um filho desrespeitoso, instável e frívolo dará aos conselhos, avisos e palavras do pai? A Bíblia é, ao mesmo tempo, a revelação do Onipotente, o milagre permanente da soberana graça de Deus, o código divino pelo qual seremos julgados no dia supremo, o testamento selado com o sangue de Cristo. Todavia, apesar de tudo isso e diante de tal maravilha, o homem irreverente se encontrará como o cego perante os sublimes Alpes suíços, ou pior ainda: talvez seja tal qual o insensato que joga lama sobre um monumento artístico admirado pelo mundo inteiro. Esse é o espírito dos primeiros cristãos, ao mesmo tempo reverente e humilde, ao contemplarem a Palavra de Deus.

Paulo afirma: "Também agradecemos a Deus sem cessar o fato de que, ao receberem de nossa parte a palavra de Deus, vocês a aceitaram, não como palavra de homens, mas conforme ela verdadeiramente é, como palavra de Deus, que atua com eficácia em vocês, os que creem" (1Ts 2.13). Que se receba assim a Escritura, com todo o respeito. E como diz o Senhor: "A este eu estimo: ao humilde e contrito de espírito, que treme diante da minha palavra" (Is 66.2). Se a estudarem com tal sentimento de humildade e reverência, descobrirão, como disse o salmista, "as maravilhas da tua lei" (Sl 119.18).

É necessário *espírito dócil*, obediente, para um estudo proveitoso e uma justa compreensão das

Escrituras, afinal o que se pode aprender em qualquer estudo se falta docilidade? Àquela pessoa obstinada e teimosa interessada em estudar a Bíblia, acontecerá a ela o que disse Paulo acerca do homem natural: "Quem não tem o Espírito não aceita as coisas que vêm do Espírito de Deus, pois lhe são loucura; e não é capaz de entendê-las, porque elas são discernidas espiritualmente" (1Co 2.14).

Assim, devem ser sacrificadas as preocupações, as opiniões preconcebidas, as ideias veneradas, para empreender o estudo com o espírito de um discípulo dócil, tendo Cristo como Mestre. Deve-se sempre ter em mente que a obscuridade e aparente contradição que possam existir não estão nos ensinos de Jesus, tampouco na sua infalível palavra, mas sim no pouco alcance do discípulo.

> Mas se o nosso evangelho está encoberto, para os que estão perecendo é que está encoberto. O deus desta era cegou o entendimento dos descrentes, para que não vejam a luz do evangelho da glória de Cristo, que é a imagem de Deus (2Co 4.3,4).

Entretanto, o discípulo humilde e dócil que abandona o deus deste século, o qual cega os entendimentos, e recebe a Cristo como Mestre verá e entenderá a verdade, pois Deus promete conduzir os humildes na justiça, ensinando-lhes o seu caminho (v. Sl 25.9).

É necessário ser *amante da verdade*, afinal quem se empenha em buscar com zelo e recolher o que não se aprecia e estima? Um coração desejoso por conhecer a verdade é de absoluta necessidade para o estudo das Sagradas Escrituras. E devemos levar em consideração que o homem, por natureza, não possui tal coração, pelo contrário, guarda um coração que foge da verdade espiritual e abraça com frequência o erro. Jesus disse de si mesmo: "A luz veio ao mundo, e os homens amaram mais as trevas do que a luz"; além disso, ele disse que eles a "aborreceram" (Jo 3.19,20, aec). E eis por que, em sua crescente cegueira, os homens passam do aborrecimento à perseguição e da perseguição à crucificação do Mestre.

> Portanto, livrem-se de toda maldade e de todo engano, hipocrisia, inveja e toda espécie de maledicência. Como crianças recém-nascidas, *desejem* de coração o leite espiritual puro, para que por meio dele cresçam para a salvação (1Pe 2.1,2; grifo do autor).

Os que com tal desejo buscam isso, estudando e examinando as Escrituras, também o acharão. Portanto, que Deus, "o glorioso Pai, lhes dê espírito de sabedoria e de revelação, no pleno conhecimento dele" (Ef 1.17). E assim: "O Senhor confia os seus segredos aos que o temem, e os leva a conhecer a sua aliança" (Sl 25.14).

É necessário, também, ser *paciente no estudo*. Que vantagem leva uma pessoa impaciente, inconstante e volúvel em qualquer trabalho que empreenda? A virtude da paciência é necessária em tudo. Jesus, ao dizer: "Examinais as Escrituras" (cf. Jo 5.39, aec), usa uma palavra que mostra o minerador que cava e revolve a terra, buscando com zelo o metal precioso, ocupado em um trabalho que requer paciência. Essencialmente, as Escrituras devem ser ricas em conteúdo e inesgotáveis, como as entranhas da terra. Da mesma forma, certamente Deus propôs que, em algumas partes, as Escrituras fossem profundas e de difícil compreensão.

Todavia, o fruto da paciência é delicioso, e quanto mais paciência tenha sido empregada para encontrar um tesouro, tanto mais desse fruto se aprecia e tanto mais satisfação produz. Portanto, busque no estudo das Escrituras ter tanta paciência quanto nas coisas comuns da vida. Além disso, manifeste a "nobreza" tal qual a que caracterizava os de Bereia, acerca dos quais afirma a Bíblia: "Os bereanos eram mais *nobres* que os tessalonicenses, pois receberam a mensagem com grande interesse, examinando todos os dias as Escrituras, para ver se tudo era assim mesmo" (At 17.11; grifo do autor). Assim, você verá como esse trabalho traz o prêmio em si mesmo.

Em Salmos, encontramos: "Como são doces para o meu paladar as tuas palavras! Mais que o mel para a minha boca" (119.103); "Eu amo os teus mandamentos mais que o ouro, mais do que o ouro puro" (119.127); "Os teus testemunhos são maravilhosos; por isso lhes obedeço" (119.129); "Eu me regozijo na tua promessa como alguém que encontra grandes despojos" (119.162).

Para o estudo proveitoso das Escrituras é necessário, em primeiro plano, ter a *prudência* de saber iniciar a leitura pelo mais simples e prosseguir para o mais complexo. É fácil descobrir que o Novo Testamento é mais simples que o Antigo, que os evangelhos são mais simples que as cartas apostólicas. Ainda entre os evangelhos, os três primeiros são mais simples que o quarto. Desse modo, comecemos pelos três primeiros. Em continuação ao Evangelho de Lucas, pode-se ler, por exemplo, o livro de Atos, que é mais fácil de ser compreendido do que o Evangelho segundo João, cujo conteúdo revela-se mais profundo. Tenha a cautela de saber passar do simples para o complexo, para tirar proveito, e não deixá-lo de lado por parecer incompreensível, como têm feito alguns imprudentes.

Podemos resumir todas essas disposições naquele traço característico que os discípulos de Jesus exprimiam nos momentos em que não compreendiam as palavras do Mestre. Ou seja: perguntaram-lhe sobre o significado, pediram explicação. Então lemos: "Quando, porém, estava a sós com os seus discípulos, explicava-lhes tudo" (Mc 4.34); "Então lhes abriu o entendimento, para que pudessem compreender as Escrituras" (Lc 24.45). O seu exemplo, nesse caso, além de indicar as condições necessárias para o estudo proveitoso das Escrituras, oferece-nos a regra fundamental que se deve observar nesse trabalho: a oração, a súplica. Jamais se deve empreender o estudo sem antes pedir ao Mestre que abra o entendimento e ilumine sua Palavra.

A fonte de toda luz e sabedoria é Deus, e diz a promessa: "Se algum de vocês tem falta de sabedoria, peça-a a Deus [...]; e lhe será concedida" (Tg 1.5). Assim agia Davi, conforme vemos em Salmos 119: "Abre os meus olhos" (v. 18), "ensina-me os teus decretos" (v. 26), "dá-me entendimento" (v. 34), "pois medito nos teus testemunhos" (v. 99). Então, ele pôde cantar o resultado de sua conduta, dizendo:

"Como são doces para o meu paladar as tuas palavras!" (v. 103); "Tenho mais discernimento que todos os meus mestres..." (v. 99).

Siga o exemplo bíblico e terá um resultado igual.

PERGUNTAS

1. Por que o estudo proveitoso das Escrituras requer um espírito singular e respeitoso?
2. Por que é necessário espírito dócil para o estudo e boa compreensão da Bíblia?
3. Por que é preciso que o pesquisador das Escrituras ame a verdade?
4. Por que ficará sem fruto aquele que ama o erro?
5. Por que o estudo proveitoso da Bíblia requer paciência?
6. Por que se necessita de prudência e bom senso no estudo das Escrituras?
7. Em que casos especiais deve-se usar tal prudência ou bom senso?

Repasse cuidadosamente esta importante lição, não somente com o objetivo de responder às perguntas, mas também, e principalmente, com o propósito de adquirir as disposições indicadas e necessárias ao estudo proveitoso da Palavra.

3
Observações gerais sobre a linguagem bíblica

De acordo com o testemunho das próprias Escrituras, elas foram divinamente inspiradas. A Bíblia é "útil para ensino, para a repreensão, para a correção e para a instrução na justiça, para que o homem de Deus seja apto e plenamente preparado para toda boa obra" (2Tm 3.16,17). Em uma palavra, a Escritura tem por objetivo tornar o homem "sábio" para a salvação mediante a fé em Cristo Jesus (2Tm 3.15).

Por isso esperamos, com razão, que a Bíblia fale com simplicidade e clareza. Com efeito, lendo o Novo Testamento, por exemplo, encontramos a cada passo em suas páginas os grandes princípios e deveres cristãos expressos em linguagem simples e clara, evidente e palpável. Cada página ressalta a espiritualidade e santidade de Deus; ao mesmo tempo, a espiritualidade e o fervor demandam a sua adoração.

Em todas as partes, queda e corrupção humanas nos são retratadas, bem como a consequente necessidade de arrependimento e conversão. Também em todas as partes são proclamadas a remissão do pecado em nome de Cristo e a salvação por seus méritos, a vida eterna pela fé em Jesus e, ao mesmo tempo, a morte eterna pela falta de fé no Salvador. A cada etapa aparecem os deveres cristãos em todas as circunstâncias da vida e as promessas de ajuda do Espírito de Deus no combate contra a corrupção e o pecado. Essas verdades brilham como a luz do dia, de modo que nem o leitor mais superficial e indiferente deixará de percebê-las.

Todavia, o que acontece com o discernimento? O mesmo que em outros livros. No livro mais simples da escola primária, que se ocupa tão somente de coisas terrenas, encontram-se, por exemplo, palavras e passagens que a pessoa não compreende sem estudos. Seria, portanto, estranho encontrar palavras e passagens de difícil compreensão nas Sagradas Escrituras, que em linguagem humana tratam de coisas divinas, espirituais e eternas? Se em uma província da Espanha são usadas figuras ou modos de expressão que em outra não se compreendem sem interpretação, por que não seria estranho encontrar tais figuras e expressões nas Escrituras, que foram escritas em países distantes e bem diferentes do nosso? Se todo o escrito antigo oferece pontos obscuros, por acaso seria estranho que os tivesse um livro inspirado por Deus a seus servos em diferentes épocas, há centenas e milhares de anos? Assim, é bastante natural que as Escrituras contenham pontos obscuros, palavras e passagens que requerem estudo e cuidadosa interpretação.

É importante lembrar aqui que unicamente em tais casos de dificuldade, e não com relação ao simples e claro, precisamos dos conselhos da hermenêutica, a fim de que nosso estudo acabe sendo proveitoso, e nossa interpretação, correta.

Bem, então imaginemos que chegue até nós um documento, testamento ou legado que muito nos interesse e represente uma grande fortuna, contudo nele existem detalhes que trazem algumas palavras e expressões de difícil compreensão. Como ou de que maneira faríamos para conseguir o verdadeiro significado de tal documento? Sem dúvida, em primeiro lugar pediríamos explicação ao autor do texto, se isso fosse possível.

No entanto, se ele prometesse nos esclarecer com a condição de que trabalhássemos, examinando-o nós mesmos, o mais comum e acertado seria certamente ler e reler o documento, tomando as palavras e frases no sentido usual e corrente. Com relação às palavras obscuras, naturalmente buscaríamos seu significado e esclarecimento, em primeiro lugar, pelas palavras próximas ou contíguas às obscuras, isto é, pelo conjunto da frase em que ocorrem.

Entretanto, se ainda ficássemos sem luz, procuraríamos a clareza pelo contexto, ou melhor, pelas frases anteriores e seguintes ao ponto obscuro. Isto é, pelo fio ou tecido circunscrito ao tópico de difícil entendimento.

Se para isso não bastasse o contexto, consultaríamos todo o parágrafo ou passagem, fixando-nos no objetivo, na intenção ou no propósito a que se dirige a passagem.

E se ainda não obtivéssemos a clareza desejada, buscaríamos luz em outras partes do documento, a fim de verificar se haveria parágrafos ou frases semelhantes, porém mais explícitas, que se ocupassem do mesmo assunto que a expressão obscura que nos causa perplexidade.

Em resumo, procederíamos de maneira que o próprio documento fosse seu intérprete. Isso porque, ao conduzi-lo a esse ou àquele advogado, estaríamos contrariando a vontade do generoso autor e, no final, correríamos o risco de uma interpretação por interesse e pouco rigorosa.

Tratando-se da interpretação das Sagradas Escrituras, do duplo Testamento de Nosso Senhor, o procedimento indicado, além de ser o mais usual e simples, é o mais acertado e seguro, como veremos a seguir.

PERGUNTAS

1. Qual foi o objetivo da inspiração das Escrituras?
2. Que devemos esperar quanto à linguagem bíblica, sendo tal seu objetivo?
3. Em relação a que pontos específicos a linguagem bíblica é muito compreensível?
4. Como é possível haver nas Escrituras pontos obscuros que requerem cuidadoso estudo e correta interpretação?
5. Em quais casos necessitamos dos conselhos da hermenêutica?
6. Como procederíamos, em primeiro lugar, para elucidar um ponto obscuro, em qualquer documento ou legado apresentado em nosso favor?

7. Se nos fosse oferecida luz mediante a condição de trabalho, como procederíamos?
8. Se não encontramos a desejada clareza por meio do conjunto da frase na qual ocorre a expressão obscura, o que devemos fazer?
9. Se pelo contexto não conseguimos luz, como devemos proceder?
10. Se não é suficiente a passagem inteira, o que fazer?
11. Por que é necessário proceder de maneira que o próprio documento se torne seu intérprete?

Relembre as lições anteriores a cada lição estudada.

4
Regra fundamental

Com base no que foi dito anteriormente, é possível ver quão apropriado e mais conveniente é o fato de que, em qualquer documento de importância onde há pontos obscuros, se busque nele mesmo seu próprio intérprete. Quanto à Bíblia, o procedimento sugerido não somente é conveniente e muito factível, mas também absolutamente necessário e indispensável.

Pelo que sabemos, o primeiro intérprete da Palavra de Deus foi o diabo, que atribuiu à palavra divina um sentido que ela não tinha, falseando astuciosamente a verdade. Mais tarde, o mesmo inimigo falseia o sentido da Palavra escrita, truncando-a, ou seja, citando a parte que lhe convinha e omitindo a outra.

Conscientes e inconscientes, os imitadores têm perpetuado tal procedimento, levando a humanidade ao engano a partir de falsas interpretações das

Escrituras. Vítimas, portanto, dessas artimanhas e de tão espantosos erros, os quais têm resultado em grandes desgraças e catástrofes, nós já devemos saber que tudo isso é suficiente para nos alertar para o perigo dessa *interpretação particular*. E a ninguém deve parecer estranho que insistamos em que a primeira e fundamental regra da correta interpretação bíblica deva ser a já indicada — *a Escritura explicada pela Escritura*, isto é: a Bíblia, sua própria intérprete.

Ignorando ou violando esse princípio simples e racional, temos encontrado, como dissemos, suposto apoio nas Escrituras para muitos e nefastos erros. Fixando-se em palavras e versículos arrancados de seu conjunto e não permitindo à Escritura explicar-se a si mesma, os judeus encontraram nela um apoio fictício para rejeitar a Cristo. Procedendo da mesma maneira, os papistas encontraram aparente apoio na Bíblia para o erro do papado e das matanças relacionadas a ele; isso para não falar da Inquisição e de outros erros do mesmo gênero. Atuando assim, os espíritas pensam achar aparente apoio para sua errônea encarnação; os comunistas, para sua repartição dos bens; os incrédulos zombadores, para as contradições; os russelitas, para seus erros blasfemos; e por fim os Wilson e Roosevelt, para seu militarismo. Se todos tivessem a sensatez de permitir que a Bíblia se explicasse a si mesma, evitariam graves e desastrosos erros.

Por causa desse abuso aqui apontado, ouvimos dizer que com a Bíblia se prova o que se quer. A má vontade, a incredulidade, a preguiça em estudá-la, o apego a ideias falsas e mundanas e a ignorância de toda regra de interpretação representam causas dessa pretensa interpretação. Todavia, a Bíblia jamais provará o que homens mal-intencionados querem que ela prove.

Ao contrário, o discípulo humilde — conhecedor da Palavra e ciente de que "a lei do Senhor é perfeita" (Sl 19.7) e de que não há erro nas Escrituras, mas sim no homem — sabe que não pode tirar nem pôr, suprimir nem acrescentar impunemente à Palavra, conforme o faz o estilo satânico. Isso porque Deus, mediante seu servo, registrou: "Se alguém tirar alguma palavra deste livro de profecia, Deus tirará dele a sua parte na árvore da vida" (Ap 22.19). O discípulo humilde sabe, certamente, que a revelação divina, como Lei perfeita, "é inspirada por Deus e útil para o ensino, para a repreensão, para a correção e para a instrução na justiça, para que o homem de Deus seja apto e plenamente preparado para toda boa obra" (2Tm 3.16,17). Como afirmamos, essa revelação não se presta impunemente a tal abuso.

Em vista de tais afirmações e dessas e outras restrições, é evidente a necessidade absoluta da legitimação divina quanto à interpretação particular do papismo, que concede ao papa autoridade superior à Palavra. O mesmo ocorre com relação à interpretação dos pais da Igreja ou do dogma da infalibilidade do papa, assim como há a necessidade de validação divina quanto à ideia da interpretação individual do protestantismo. "Nenhuma profecia da Escritura provém de interpretação pessoal", disse Pedro; e Jesus nos exorta a examinar as Escrituras para achar a verdade, e não a interpretar as Escrituras para estabelecer a verdade a nosso arbítrio.

Portanto, nada existe de estranho no fato de encontrar nos célebres autores da Antiguidade afirmações como esta: "As Escrituras são a sua melhor intérprete". Você compreenderá melhor a Palavra de Deus se comparar uma parte com outra, comparando as coisas espirituais com as espirituais (v. 1Co 2.13). O que equivale a usar a Escritura de tal modo que ela venha a ser sua própria intérprete.

Se por uma parte, arrancando versículos de seu conjunto e citando frases soltas para fundamentar ideias preconcebidas, é possível construir doutrinas chamadas bíblicas que, na verdade, não são ensinos das Escrituras, mas antes "doutrinas de demônios", por outra parte, explicando a Escritura pela Escritura, usando a Bíblia como intérprete de si mesma, não apenas se adquire o verdadeiro sentido das palavras e de textos determinados, mas também a certeza de todas as doutrinas cristãs quanto à fé e à moral.

É preciso ter sempre em mente que não se pode considerar completamente bíblica uma doutrina antes de resumir e encerrar tudo que a Escritura diz sobre ela. Tampouco um dever é inteiramente bíblico se não abarca e resume todos os ensinos, prescrições e reservas que se encontram na Palavra de Deus em relação ao mesmo. Aqui cabe bem a lei: "Não se pronuncia sentença antes de haver ouvido as partes". Todavia, cometem o delito de falhar antes de haver examinado as partes todos aqueles que estabelecem doutrinas sobre palavras ou versículos extraídos do conjunto, sem permitir à Escritura explicar-se a si mesma.

Assim, é de suma necessidade observar a referida *regra das regras*, ou seja: a Bíblia como sua própria intérprete. Do contrário, poderemos incorrer em erros e atrair sobre nós a maldição que a própria

Escritura pronuncia contra os falsificadores da Palavra. Ao usarmos a expressão "regra das regras", queremos dizer que dessa regra, fundamental, desprendem-se outras que, como veremos, dela nascem naturalmente.

PERGUNTAS

1. Quem foi o primeiro intérprete da Palavra de Deus e quais as suas astúcias?

2. Qual deve ser a regra fundamental na interpretação da Bíblia e por quê?

3. Quais os males que resultam de não interpretar as Escrituras por si mesmas?

4. Quem prova o que quer com a Bíblia?

5. Por que não se pode provar o que se deseja com a Bíblia?

6. Como se deve considerar a interpretação particular, individual, papista ou protestante?

7. Que princípio de interpretação recomendavam os célebres autores da Antiguidade?

8. O que é exigido para que essa ou aquela doutrina ou declaração seja positivamente bíblica?

9. Que princípio fundamental deve servir-nos de base em todo o estudo bíblico?

5
Primeira regra

Como já dissemos, naturalmente os autores das Sagradas Escrituras escreveram com o objetivo de se fazerem compreender. Desse modo, eles teriam utilizado palavras conhecidas, usando-as no sentido que geralmente tinham. Averiguar e determinar qual seja esse sentido corrente e comum deve constituir, portanto, o primeiro cuidado na interpretação ou correta compreensão das Escrituras.

Para maior aproveitamento, será preciso repetir aqui, além do auxílio divino, que em tal averiguação há modos de proceder que nenhum leitor da Bíblia deve ignorar. Nisso será necessário sempre ter em conta o princípio fundamental, isto é: o Livro há de ser seu próprio intérprete, princípio a partir do qual se chega a outros, que chamamos regras ou pautas de interpretação.

Dessas regras, a primeira diz assim: "É preciso, o quanto seja possível, tomar as palavras em seu sentido usual e comum".

Trata-se de uma regra extremamente natural e simples, porém da maior importância. Isso porque, ignorando-a ou violando-a, em muitas partes da Escritura não prevalecerá outro sentido senão aquele que o capricho humano queira lhe conceder. Por exemplo, houve quem imaginasse que as ovelhas e os bois mencionados no salmo 8 eram os crentes, enquanto as aves e os peixes eram os incrédulos, de onde se concluía, assim, que todos os homens, queiram ou não, estão submetidos ao poder de Cristo. Se tivesse sido levado em conta o sentido usual e comum das palavras, o intérprete não teria caído em semelhante erro.

Todavia, em todo caso é preciso levar em consideração que o sentido usual e comum não equivale sempre ao sentido literal. Em outras palavras, o dever de tomar as palavras e frases no sentido comum e natural delas não significa que toda vez se deva tomar ao "pé da letra". Como se sabe, cada idioma tem seus modos próprios e inerentes de expressão, e tão singulares que, se houver tradução ao pé da letra, perde-se ou é destruído completamente o sentido real e verdadeiro. Talvez essa circunstância se faça tão presente na linguagem das Escrituras, mais do que em outro livro qualquer, porque a Bíblia está repleta de tais modos e expressões próprias e peculiares.

Os autores sagrados não se dirigem a uma classe determinada de pessoas privilegiadas, mas ao povo em geral. Portanto, não se servem de linguagem científica ou técnica, mas figurada e popular. Desse modo, percebemos a liberdade, a variedade e o vigor em sua linguagem, características perceptíveis pelo farto uso de toda sorte de figuras retóricas, símiles, parábolas e expressões simbólicas. Também ocorrem muitas expressões peculiares do idioma hebreu, chamadas *hebraísmos*. Precisamos estar conscientes de tudo isso para podermos determinar qual seja o verdadeiro sentido usual e comum das palavras e frases.

Em Gênesis 6.12, lemos: "Porque toda carne havia corrompido o seu caminho sobre a terra" (ARC). Tomando aqui as palavras "carne e caminho" em sentido literal, o texto perde o significado por completo. Contudo, tomando em seu sentido comum, usando-se como figuras, ou seja, carne no sentido de pessoa e caminho no sentido de costumes, modo de proceder ou religião, o texto já não tem só significado, mas um significado terminante, conclusivo, dizendo-nos que toda pessoa havia corrompido seus costumes. E Paulo nos declara a mesma verdade, sem figura, dizendo: "Não há ninguém que faça o bem" (Rm 3.12).

Jesus pergunta: "Qual é a mulher que, possuindo dez dracmas e, perdendo uma delas, não acende uma candeia, varre a casa e procura atentamente, até encontrá-la?" (Lc 15.8). Nesse versículo, tomado ao pé da letra, embora nos apresente uma pergunta interessante, estamos longe de compreender a verdade nela contida. Entretanto, sabendo que abriga uma parábola, cujas partes principais e figuradas requerem interpretação e designam realidades correspondentes às figuras, não vemos agora somente uma pergunta interessante, mas uma mulher que representa Cristo; um trabalho árduo que simboliza o ministério que Cristo está desenvolvendo; e uma moeda perdida que se refere à condição do homem perdido no pecado. Tudo isso mostra e ilustra de forma admirável a mesma verdade que Cristo expressa, sem parábola, dizendo: "Pois o Filho do homem veio buscar e salvar o que estava perdido" (Lc 19.10).

Profetizando a respeito de Jesus, afirmou Zacarias: "... e nos levantou uma poderosa salvação na *casa* de Davi, seu servo" (Lc 1.69, aec; grifo do autor). Dificilmente desse texto de Lucas extrairemos alguma coisa clara se tomarmos a palavra "casa" no sentido literal. Porém, sabendo que, como símbolo e figura, casa comumente significa família ou descendência, já não estamos às escuras — compreendemos que Deus levantou uma poderosa salvação entre os descendentes de Davi, como também disse Pedro: "Deus o exaltou [a Cristo], colocando-o à sua direita como Príncipe e Salvador, para dar a Israel arrependimento e perdão de pecados" (At 5.31).

Jesus disse: "Se alguém vier a mim, e não aborrecer a seu pai, e mãe, [...] não pode ser meu discípulo" (Lc 14.26, aec). Ora, tomado ao pé da letra, isso constitui uma contradição ao preceito de amar até aos inimigos. No entanto, lembrando-nos do hebraísmo pelo qual se expressam às vezes comparações e preferências entre duas pessoas ou coisas com palavras tão enérgicas como amar e aborrecer, já não apenas desaparece a contradição, mas também compreendemos o verdadeiro sentido do texto, sentido que sem hebraísmo Jesus mesmo expressa, dizendo: "Quem ama seu pai ou sua mãe mais do que a mim não é digno de mim" (Mt 10.37).

Com base nos exemplos citados, pode-se compreender a grande necessidade de nos familiarizar com as figuras e modos próprios e peculiares da linguagem bíblica. Obtém-se essa familiaridade, desde logo, por um estudo das próprias Escrituras e ao mesmo tempo com a compreensão das regras de hermenêutica.

PERGUNTAS

1. Qual deve ser o primeiro cuidado na correta interpretação das Escrituras?
2. Qual o princípio fundamental que se deve sempre levar em consideração na interpretação?
3. Qual é a primeira regra que se deduz da "regra das regras"?
4. Por que é tão importante essa regra?
5. Que diferença há entre o sentido usual ou comum e o sentido literal?
6. Por que não se devem tomar sempre as palavras em seu sentido literal?
7. Por que a Bíblia foi escrita em linguagem popular e figurada, e não em linguagem científica?
8. De que tratam nesta lição o primeiro, o segundo, o terceiro e o quarto exemplos?
9. Que são hebraísmos?
10. Como se obtém a familiaridade necessária para distinguir linguagem literal e linguagem figurada?

6
Segunda regra

Existem na linguagem bíblica, assim como em qualquer outra, palavras que variam muito em seu significado, conforme o sentido da frase ou o argumento apresentado. Por isso, é importante averiguar e determinar sempre qual o pensamento especial que o autor se propõe a expressar, e desse modo, fazendo desse pensamento uma diretriz, será possível determinar o sentido positivo do termo complexo.

Portanto, é tão natural quão importante o que chamamos de a segunda regra, que diz: "É de todo necessário tomar as palavras no sentido que indica o conjunto da frase".

Para acentuar a importância dessa regra, verificaremos nos exemplos a seguir o significado de algumas palavras muito importantes e a forma pela qual esse significado varia, dependendo da frase, do texto ou do versículo.

Fé — comumente, a palavra "fé" significa confiança, embora também tenha outras acepções. Acerca de Paulo, lemos em Gálatas 1.23: "Agora está anunciando a fé que outrora procurava destruir". Do conjunto dessa frase vimos claramente que fé, aqui, significa crença, ou seja, a doutrina do Evangelho. Já em Romanos 14.23: "Mas aquele que tem dúvida é condenado se comer, porque não come com fé; e tudo o que não provém da fé é pecado", pelo conjunto do versículo, e tudo considerado, constatamos que a palavra nesse caso ocorre no sentido de convicção; a certeza do dever cristão para com os irmãos.

Salvação, salvar — essas palavras são usadas frequentemente no sentido de libertação do pecado e de suas consequências. No entanto, apresentam outros significados. Lemos em Atos 7.25: "Ele [Moisés] pensava que seus irmãos compreenderiam que Deus o estava usando para salvá-los". Guiados pelo conjunto do versículo, compreendemos que aqui a palavra "salvar" ocorre no sentido de liberdade temporal. Em Romanos 13.11: "Agora a nossa salvação está mais próxima do que quando cremos", a palavra "salvação" equivale à vinda de Cristo. Já no texto de Hebreus 2.3: "Como escaparemos, se negligenciarmos tão grande salvação?", o termo "salvação" se refere a toda a revelação do Evangelho.

Graça — o significado comum da palavra "graça" é favor, mas ela também tem outros sentidos. Em Efésios 2.8: "Pois vocês são salvos pela graça, por meio da fé, e isto não vem de vocês, é dom de Deus", a palavra "graça" significa a pura misericórdia e bondade de Deus manifestadas aos crentes sem mérito nenhum da parte deles. Porém, em Atos 14.3, "graça" significa a pregação do evangelho: "... falando corajosamente do Senhor, que confirmava a mensagem de sua graça". Já em 1Pe 1.13: "Estejam alertas e coloquem toda a esperança na graça que lhes será dada quando Jesus Cristo for revelado", "graça" equivale à bem-aventurança que ele trará na sua vinda. A mesma palavra aparece como ensino do Evangelho em Tito 2.11: "A graça de Deus se manifestou salvadora a todos os homens". Em Hebreus 13.9: "É bom que o nosso coração seja fortalecido pela graça, e não pelos alimentos cerimoniais", a palavra "graça" corresponde também às doutrinas do Evangelho, em oposição às que tratam de alimentos relacionados às práticas judaicas.

Carne — lemos em Ezequiel 36.26: "... e lhes darei um coração de carne", ou seja, uma disposição terna e dócil. Já em Efésios 2.3: "Anteriormente, todos nós também vivíamos entre eles, satisfazendo as vontades da nossa carne", a mesma palavra significa nossos desejos sensuais. Em 1Tm 3.16: "Aquele [Deus] que se manifestou em carne" (aec), o termo equivale à forma humana. Em Gálatas 3.3, a palavra tem o sentido de observar as cerimônias judaicas, como a circuncisão, feita na carne: "Tendo começado pelo Espírito, acabeis agora pela carne?" (aec).

Sangue — ao falarem de crucificar a Cristo, os judeus disseram em Mateus 27.25: "Que o sangue dele caia sobre nós e sobre nossos filhos!". Tendo como guia nossa regra, vimos que a palavra "sangue", aqui, ocorre no sentido de culpa e suas consequências, por matar um inocente. Já nas seguintes passagens: "Nele temos a redenção por meio de seu sangue" (Ef 1.7) e "Como agora fomos justificados por seu sangue, muito mais ainda, por meio dele, seremos salvos da ira de Deus!" (Rm 5.9), o conjunto das frases torna claro que a palavra "sangue" diz respeito à morte expiatória de Cristo na cruz.

Como se vê facilmente, a presente regra tem importância especial ao determinar se as palavras devem ser tomadas no sentido literal ou no sentido figurado. Para não cometer erros, é muito importante, também nesse caso, deixar-se guiar pelo pensamento do autor e tomar as palavras no sentido indicado pelo conjunto do versículo. Aqui estão dois exemplos.

"Jesus tomou o pão, deu graças, partiu-o, e o deu aos seus discípulos, dizendo: 'Tomem e comam; isto é o meu corpo'" (Mt 26.26) — pelo conjunto desse versículo, fica claro que a palavra "corpo" aqui não é utilizada no sentido literal, mas figurado. Isso porque, é evidente, Jesus, santo e inteiro, partiu o pão e não o próprio corpo. Portanto, Jesus usa a palavra em sentido simbólico, fazendo com que eles compreendam que o pão representa o seu corpo.

"Eu lhe darei as chaves do Reino dos céus" (Mt 16.19), diz Cristo a Pedro — pelo conjunto dessa frase, vemos claramente que a palavra "chaves" não é usada no sentido literal ou material, uma vez que o Reino dos céus não é um lugar terreno onde se pode entrar utilizando chaves materiais. Desse modo, deve-se tomar o termo em sentido figurado, simbolizando autoridade, a mesma autoridade de ligar e desligar ou perdoar e reter pecados que em outra ocasião também deu aos demais discípulos (Mt 18.18; Jo 20.23).

Existem muitos exemplos como esses citados aqui, contudo bastam os já mencionados para que tenhamos ideia do uso dessa regra e da grande necessidade de ler com atenção as Escrituras.

PERGUNTAS

1. Se as palavras não são usadas no mesmo sentido, como sabemos em cada caso qual o verdadeiro significado?

2. O que diz a regra que deve ser observada no caso em que as palavras variam de sentido?

3. Como, por exemplo, varia o sentido da palavra "fé"?

4. Como varia o significado da palavra "salvação"?

5. Em quais sentidos se usa a palavra "graça"?

6. Quais são os diferentes significados da palavra "carne"?

7. Como varia o significado da palavra "sangue"?

8. Quando é que a presente regra tem importância especial?

9. Por que não se pode tomar no sentido literal a palavra "corpo" em Mateus 26.26?

10. Por que se deve compreender em sentido figurado a palavra "chaves" em Mateus 16.19?

7
Terceira regra

A terceira regra diz: "É necessário tomar as palavras no sentido indicado no contexto, a saber, os versículos que antecedem e precedem o texto que se estuda".

Algumas vezes acontece de não bastar o conjunto de uma frase para determinar o verdadeiro significado de certas palavras. Em tal caso, portanto, devemos começar a leitura bem antes da expressão obscura e continuá-la até mais adiante, para levar em conta o que a precede e o que se segue a ela. Procedendo dessa maneira, será possível encontrar clareza no contexto em diferentes circunstâncias.

É no contexto que achamos expressões, versículos ou exemplos capazes de nos esclarecer e definir o significado da palavra obscura. Quando Paulo diz: "Ao lerem isso vocês poderão entender a minha compreensão do mistério de Cristo" (Ef 3.4), ficamos um tanto indecisos com relação ao verdadeiro significado da palavra "mistério". Porém, graças aos versículos anteriores e posteriores, verificamos que o termo "mistério" se aplica, aqui, à participação dos gentios nos benefícios do Evangelho. Em outras passagens, a mesma palavra é encontrada em sentido diferente, sendo necessário, em cada caso, o contexto para determinar o significado exato.

"Assim também nós, quando éramos meninos, estávamos reduzidos à servidão, debaixo dos rudimentos do mundo" (Gl 4.3,9-11, aec). Que são os "rudimentos" do mundo? O que vem depois da palavra nos explica que se trata de práticas de costumes judaicos. Esse vocábulo também é usado em outro sentido, o que leva o contexto a determinar sua correta interpretação.

Outras vezes, uma palavra obscura acaba se tornando clara no contexto por meio de sinônimo ou ainda por meio de palavra oposta e contrária a essa expressão obscura. Por exemplo, a palavra "aliança" (Gl 3.17) é explicada pelo vocábulo "promessa", que aparece no final do mesmo versículo. Do mesmo modo, também as difíceis palavras "enraizados e edificados" (Cl 2.7) encontram sua explicação pela expressão "firmados na fé", que vem logo em seguida.

"Pois o salário do pecado é a morte", diz o apóstolo Paulo. O sentido profundo dessa expressão põe em destaque, de maneira viva, a expressão oposta que se segue a ela: "... mas o dom gratuito de Deus é a vida eterna" (Rm 6.23). O mesmo ocorre em relação à "fé", por exemplo, quando João diz: "Quem crê no Filho tem a vida eterna", ressaltando a palavra "crer" pela expressão oposta: "Já quem rejeita o Filho não verá a vida, mas a ira de Deus permanece sobre ele" (Jo 3.36).

Algumas vezes, uma palavra que expressa uma ideia geral e absoluta deve ser tomada em sentido restritivo, conforme assim o determine alguma circunstância especial do contexto, ou melhor, do conjunto das declarações das Escrituras em assuntos de doutrina. Por exemplo, quando Davi exclama: "Julga-me, Senhor, conforme a minha justiça, conforme a minha integridade" (Sl 7.8), o contexto nos faz compreender que Davi apenas proclama sua retidão e integridade em oposição às calúnias que Cuxe, o benjamita, levantara contra ele.

Na parábola do administrador astuto (ou infiel), temos a indicação de sua conduta como digna de imitação. No entanto, pelo contexto verificamos o exemplo limitado à "prudência" (ou astúcia) do administrador, com a total exclusão de seu procedimento desonesto (Lc 16.1-13).

Ao falar de um cego de nascença, Jesus disse: "Nem ele nem seus pais pecaram" (Jo 9.3), com o que de nenhum modo Jesus afirma que o cego não tivesse nenhum pecado. Pelo contexto, percebemos que a cegueira não era consequência de pecado, como erroneamente pensavam os discípulos; posteriormente, no segundo encontro com o cego, Jesus trata da questão do pecado.

Quando lemos o trecho em que Tiago ordena que o doente "mande chamar os presbíteros da igreja, para que estes orem sobre ele e o unjam com óleo" (Tg 5.14), entendemos pelo contexto que se trata da cura do corpo, e não da saúde da alma, como pretendem os romanistas que, deixando de lado o contexto, como de hábito, imaginam encontrar aqui apoio para a extrema-unção.

Tratando-se do contexto, é importante advertir: às vezes, rompe-se o fio do argumento ou narração por um parêntese mais ou menos longo, depois do qual o assunto é retomado. Se o parêntese é curto, não existe dificuldade; todavia, caso seja longo, como ocorre sucessivamente nas epístolas de Paulo, vai requerer particular atenção.

Em Efésios 3, encontramos um parêntese que vai desde o segundo versículo até o último (v. 21), reatando o fio do assunto no primeiro versículo do capítulo seguinte (Ef 4.1). Encontramos outros exemplos: Filipenses 1.27—2.16; Romanos 2.13-16; Efésios 2.14-18, e vale notar que a palavra "porque" ou "pois" aqui, em lugar de geralmente introduzir uma razão, determinando o porquê de alguma coisa, serve para apresentar um parêntese.

Entretanto, devemos lembrar que os originais das Sagradas Escrituras não apresentam a divisão em capítulos e versículos. Com isso, o contexto não se encontra sempre dentro dos limites do capítulo que ponderamos, tampouco o fio de um argumento ou de uma narração sempre vai terminar ao final do capítulo. É preciso levar isso em consideração.

Por fim, não se esqueça de que, às vezes, tão somente pelo contexto é possível determinar se uma expressão deve ser tomada ao pé da letra ou em sentido figurado.

Quando Jesus chama o vinho de "sangue da aliança", compreendemos pelo contexto que a palavra "sangue" deve ser tomada em sentido figurado, já que Jesus volta a denominar o vinho de "fruto da videira", embora o tivesse abençoado (Mt 26.27-29).

Daí vemos, além disso, que não vem de Jesus o ensino da transformação do vinho em sangue verdadeiro de Cristo, como pretendem os que criam caso fora do contexto, desvirtuando as Escrituras para sua perdição.

Depois de Jesus ter dito: "Todo aquele que come a minha carne e bebe o meu sangue tem a vida eterna [...]. Pois a minha carne é verdadeira comida e o meu sangue é verdadeira bebida" (Jo 6.54,55), os discípulos ficaram assombrados e começaram a murmurar. Dessa circunstância devemos esperar no contexto alguma explicação, se devemos tomar em sentido material ou espiritual essas declarações. De fato, lemos: "O espírito [o sentido espiritual das palavras ditas] dá vida; a carne [o sentido carnal] não produz nada que se aproveite" (Jo 6.63). Em toda a passagem de João 6.48-63, comer a carne e beber o sangue equivale, assim, a apropriar-se pela fé do sacrifício de Cristo na cruz, a partir do que, como se sabe, resulta a vida eterna do crente.

Quando Paulo fala em 1Coríntios 3.12 sobre edificar: "Se alguém constrói sobre esse alicerce usando ouro, prata, pedras preciosas, madeira, feno ou palha...", observamos pelo contexto que ele se refere ao próprio Cristo como o fundamento do edifício. Deve-se tomar tais palavras no sentido espiritual, estando assim representadas, sem dúvida, as doutrinas legítimas e as doutrinas falsas com suas consequências.

A expressão: "Será salvo como alguém que escapa através do fogo" (1Co 3.15) explica-se a si mesma pelo contexto. Não se trata de salvar uma alma qualquer, mas servos de Deus; tampouco se trata do fogo no sentido literal, mas de uma desafortunada construção que usa material como feno ou palha. Além disso, não se fala de um fogo purificador, mas destruidor, isto é, o fogo da rigorosa prova no dia da manifestação de Cristo. Esses "cooperadores de Deus" (v. 9) se salvarão, pois são como um construtor que, na catástrofe do incêndio do edifício que está construindo, pôde escapar sim, mas perdendo tudo, exceto a vida. Isso corresponde à mesma expressão que diz "será salvo", não mediante a permanência no fogo, mas "como alguém que escapa através do fogo". Apenas os cegos ao contexto podem sonhar com o purgatório nessa passagem (1Co 3.5-15).

Paulo diz que a união entre Cristo e a igreja é tão íntima, que somos membros do seu corpo, da sua carne e dos seus ossos, que deve reinar união tão estreita como entre marido e esposa, e continua: "Este é um mistério profundo..." — que mistério?

O próprio contexto o explica na sequência — "refiro-me, porém, a Cristo e à igreja" (Ef 5.32).

A união íntima entre Cristo e a sua igreja é, portanto, o mistério, e não a união entre marido e mulher que, certamente, não é nenhum mistério. Porém, os romanistas não apenas fazem um arranjo com o contexto, como ainda traduzem a expressão assim: "Grande é este sacramento", acrescentando em nota explicativa que "a união do marido com a mulher é um grande sacramento"! Desse modo, traduzindo mal e interpretando pior, eles encontram aqui o fundamento para o que chamam de "o sacramento do matrimônio".

O que foi apresentado acima é suficiente para compreender a necessidade de levar em consideração o contexto, a fim de decidir se determinadas expressões devem ser tomadas ao pé da letra ou em sentido figurado.

PERGUNTAS

1. Qual é a terceira regra?
2. Que se entende por contexto?
3. Para que, e de quantas maneiras, é útil o contexto?

4. Que existe no contexto que explica expressões obscuras? Exemplifique.

5. Que exemplos temos do esclarecimento de palavras obscuras por palavras semelhantes ou opostas às obscuras?

6. De que forma o contexto nos ajuda em certas expressões de ideias absolutas? Cite exemplos.

7. Que devemos considerar em relação ao contexto e aos parênteses?

8. De que serve o contexto em relação às expressões literais ou figuradas? Dê exemplos.

É importante advertir novamente que para um bom proveito é preciso estudar as lições até o ponto de poder responder às perguntas sem recorrer ao texto.

8
Quarta regra

A quarta regra de interpretação diz: "É preciso tomar em consideração o objetivo ou desígnio do livro ou passagem em que ocorrem as palavras ou expressões obscuras". Como se vê, essa regra nada mais é do que a ampliação dos preceitos anteriores no caso de nem o conjunto da frase nem o contexto oferecerem luz suficiente para eliminar a dificuldade e dissipar toda dúvida.

Podemos adquirir o objetivo ou desígnio de um livro ou passagem por meio, sobretudo, de repetidas leituras e estudo cuidadoso, considerando em que ocasião e a que pessoas originalmente foram escritos. Em alguns casos o desígnio do livro ou passagem está claro como, por exemplo, o de toda a Bíblia, em Romanos 15.4 e 2Timóteo 3.16,17; o dos Evangelhos, em João 20.31; o de 2Pedro 3.2; e o de Provérbios 1.1,4.

O desígnio alcançado através do estudo aplicado nos oferece apreciável auxílio na explicação de pontos obscuros e na elucidação de textos que parecem contraditórios, além de proporcionar um conhecimento mais profundo de passagens em si claras.

É evidente que as cartas aos gálatas e aos colossenses foram escritas na ocasião dos erros que, com grande dano, os judaizantes ou "falsos mestres" procuravam implantar nas igrejas apostólicas. Por isso, essas cartas têm por desígnio expor com toda a clareza a salvação pela morte expiatória de Cristo, em oposição aos ensinos dos judaizantes, que pregavam as obras, a observância de dias e cerimônias judaicas, a disciplina do corpo e a falsa filosofia.

Se levarmos sempre em consideração esse desígnio, encontraremos luz a cada passo no estudo dessas cartas, a fim de alcançar a melhor compreensão das passagens, ainda que sejam claras em si mesmas. Desse modo, leremos com mais entendimento, por exemplo, os salmos 3, 18, 34 e 51, lembrando a ocasião em que foram escritos; informação que pode ser obtida por meio da leitura do título. O mesmo se pode aplicar aos salmos 120 até 134, intitulados "Cântico de peregrinação", se levamos em consideração que foram escritos para serem cantados pelos judeus em suas viagens anuais a Jerusalém.

No exemplo a seguir, pode-se notar a luz que o desígnio oferece na explicação de um ponto obscuro, em que se adquire o desígnio levando-se em conta a condição de uma pessoa à qual Jesus se dirige. Quando um jovem rico, cegado por justiça própria, pergunta-lhe que bem deveria fazer para obter a vida eterna (Mt 19.16,17; Lc 18.18) e Jesus responde: "Obedeça aos mandamentos", estará querendo ensinar-lhe com essa resposta que o meio de salvação é a observância dos dez mandamentos? Certamente que não, pois o ensinamento das Escrituras diz que a vida eterna é alcançada unicamente pela fé no Salvador. Então, como explicar que Jesus lhe tenha dado tal resposta?

Tudo ficará claro e desaparecerá toda dúvida, se tivermos em conta com que desígnio Jesus fala ao jovem rico. Isso porque, evidentemente, o seu objetivo foi valer-se da mesma lei e do mandamento novo de "vender tudo" o que possuía para tirar o pobre cego de sua ilusão e levá-lo ao conhecimento das próprias faltas dele para com a Lei divina e à consequente humilhação; o que também conseguiu, fazendo-o compreender que não passava de um pobre idólatra das próprias riquezas, que não havia cumprido nem mesmo o primeiro mandamento da Lei. Nesse caso, o desígnio de Jesus foi o de usar a Lei como "tutor" (Gl 3.24), conforme o apóstolo, para conduzir o pecador à verdadeira fonte de salvação, porém não como meio de salvação, e é por isso que Jesus lhe indica os mandamentos.

É importante notar que as aparentes contradições desaparecem se levamos em consideração o desígnio. Quando Paulo diz que o homem é justificado (declarado sem culpa) pela fé sem as obras, enquanto Tiago afirma que o homem é justificado pelas obras e não somente pela fé, a aparente contradição desaparece a partir do momento em que consideramos o desígnio diferente das cartas de um e de outro (v. Rm 3.28; Tg 2.24). Paulo combate e refuta o erro dos que confiavam nas obras da lei mosaica como meio da justificação e rechaçavam a fé em Cristo. Já Tiago combate o erro de alguns desordenados que se contentavam com uma fé imaginária, descuidando das boas obras e se opondo a elas. Por isso, Paulo trata da justificação pessoal diante de Deus, enquanto Tiago se ocupa da justificação pelas obras diante dos homens.

O ato de justificar (declarar sem culpa) o homem criminoso à vista de Deus se faz tão somente pela fé no sacrifício de Cristo pelo pecador e sem as obras da Lei. Todavia, o ser justificado (declarado sem culpa) à vista do mundo, ou da igreja, realiza-se mediante obras palpáveis, e não somente pela fé que é invisível. A expressão "Mostre-me a sua fé pelas obras" é o tom e a exigência da carta de Tiago, bem como das cartas de Paulo. Vemos, assim, que as pessoas são justificadas diante de Deus mediante a fé, contudo nossa fé é justificada diante dos homens mediante as obras. A partir desse entendimento é possível conciliar perfeitamente as doutrinas dos apóstolos.

Lemos em 1João 3.9: "Todo aquele que é nascido de Deus não pratica o pecado, [...] ele não pode estar no pecado". Será que o apóstolo quer dizer que o cristão é absolutamente incapaz de cometer uma falta? Não, pois o próprio objetivo da carta é o de prevenir para que as pessoas não pequem, o que admite a possibilidade de poder cair em falta. Portanto, como compreender que nascidos de Deus não podem pecar? Também nesse caso é a consideração cuidadosa do desígnio da carta que nos traz luz.

Pelas Escrituras vemos que existiam, em fins do século apostólico, certos pretensos cristãos enganados que acreditavam poder praticar toda sorte de excessos carnais, sem respeitar lei alguma. Um dos desígnios das cartas joaninas é, claramente, prevenir os filhos de Deus contra esse mau tipo de crenças. João diz que, ao contrário desses "filhos do diabo" que, por natureza, cometem pecado, os "filhos de Deus" não podem viver pecando. Cada um se ocupa com as obras do próprio pai: os filhos de Deus se ocupam em manifestar seu amor a Deus, obedecendo aos seus mandamentos (1Jo 5.2); os filhos do diabo se ocupam em imitar o pai deles, que está pecando desde o princípio. Uns praticam o pecado, os outros não o praticam a partir do momento em que nasceram de Deus.

Opondo-se a esses libertinos filhos do diabo, que acreditavam poder pecar e naturalmente pecavam com prazer, João afirma que os nascidos de Deus, pelo contrário, tendo repugnância e ódio pelo pecado, não podem pecar; quer dizer, *não podem praticar o pecado*, ou continuar pecando, como indica o texto original. Em razão de terem nascido de Deus, e aspirando, como aspiram, à perfeição moral completa, é contra a nova natureza deles praticar o pecado: não podem continuar pecando. Isso supostamente não impede que sejam estimulados a guardar-se do mal, a partir do momento em que não estão fora da possibilidade de pecar.

Nas cartas de Paulo, encontramos outro caso de aparente contradição, também explicada pelo desígnio dos escritos correspondentes. Em Gálatas 4.10,11, o apóstolo se opõe à observância dos dias de festas judaicas, enquanto em Romanos 14.5,6 não faz qualquer oposição definitiva a tal observância. Como explicar essa diferença? A razão para isso é que o objetivo geral da carta aos gálatas era simplesmente o de resistir às doutrinas dos falsos mestres, cuja ação desviava os crentes. Esses mestres lhes haviam ensinado que para a salvação, além de certa fé na doutrina cristã, era preciso obedecer às práticas judaicas do Antigo Testamento, com o que, na verdade, atacavam o fundamento da justificação pela fé, tornando nulo o sacrifício de Jesus Cristo na cruz.

Por causa disso, Paulo se lamenta amargamente do grave perigo a que estavam expostos os cristãos da Galácia. E nada há de estranho em que o apóstolo se opusesse com firmeza a essas observâncias judaicas, que obscureciam o glorioso Salvador e ameaçavam arruinar o trabalho apostólico entre eles.

Já o caso de Romanos 15.1-13 é muito diferente. A passagem tem por objetivo estabelecer a paz em um grupo de irmãos *fracos*, convertidos do judaísmo, os quais criticavam os crentes *mais firmes* que, por sua vez, desprezavam os fracos. Esses irmãos débeis, que se haviam imposto não comer carne nem beber vinho e guardavam as festas judaicas, não se encontravam no grave perigo dos gálatas. Por isso o apóstolo diz que alguns consideram todos os dias iguais, enquanto outros observam certo dia com preferência a outro, afirmando que estes assim o fazem para o Senhor. Por esse motivo, Paulo não se opõe direta e definitivamente a isso.

Entretanto, considerando o repetido compromisso, que continuamente lhes dirige, de estarem "seguros em seu ânimo", isto é, submeter a sério exame até não restar dúvida acerca do correto procedimento que ambas as partes deviam observar nos assuntos divergentes — e considerando, além disso, que seu desejo e desígnio eram que os dois lados antagônicos chegassem a uma mesma opinião para que cessassem as discórdias e se restabelecesse a paz (Rm 15.5,6) —, é evidente que o apóstolo estimula os fracos a avançar em seu critério até o ponto de abandonar a observância das festas judaicas. Aqui também o apóstolo, mesmo indiretamente, se mostra contrário ao antigo costume, destinado a desaparecer como toda coisa velha que tenha já cumprido sua missão. Portanto, diante dos diferentes desígnios dos escritos aqui mencionados, encontramos completa harmonia onde à primeira vista parecia haver divergência.

Outros exemplos do mesmo gênero poderiam ser citados, contudo acreditamos que os já assinalados são suficientes para evidenciar a importância de consultar, em caso de necessidade, o desígnio ou propósito dos livros ou passagens a fim de obter a correta compreensão das expressões obscuras e mesmo das que em si são claras.

PERGUNTAS

1. Qual é a quarta regra que convém levar em consideração na interpretação das passagens obscuras?
2. Como se obtém o desígnio ou objetivo de um livro ou passagem?
3. Qual é o desígnio da Bíblia, dos Evangelhos e dos Provérbios?
4. Que auxílio nos oferece o desígnio de um livro ou passagem na interpretação?
5. Com que motivo e consequente desígnio foram escritas as cartas aos gálatas e aos colossenses?

6. Como explicar, pelo desígnio, a expressão: "Obedeça aos mandamentos", que parece contradizer a doutrina da salvação pela fé?

7. Como se harmonizam os textos de Paulo e Tiago, se um diz: "Pois sustentamos que o homem é justificado pela fé, independente da obediência à Lei" (Rm 3.28), enquanto o outro: "Vejam que uma pessoa é justificada por obras, e não apenas pela fé" (Tg 2.24)?

8. Como se explica de modo satisfatório a afirmação de João de que o cristão "não pode estar no pecado" (1Jo 3.9)?

9. Como se harmonizam as passagens a respeito de guardar as festas em Gálatas 4.10,11 e em Romanos 14.5,6?

9
Quinta regra: primeira parte

É necessário consultar as passagens paralelas, "explicando coisas espirituais pelas espirituais" (1Co 2.13, original). Por passagens paralelas, entendemos aqui as que fazem referência uma à outra, que tenham entre si alguma relação ou tratem de um mesmo assunto.

Não somente é preciso apelar para tais paralelos a fim de explicar determinadas passagens obscuras, mas também para adquirir conhecimentos bíblicos exatos acerca de doutrinas e práticas cristãs. Isso porque, como já dissemos, uma doutrina que se pretende bíblica não pode ser considerada inteiramente como tal sem resumir e expressar com fidelidade tudo o que a Bíblia estabelece e excetua em suas diferentes partes em relação à passagem específica.

Neste importante estudo, devemos observar que existem paralelos de palavras, paralelos de ideias e paralelos de ensinos gerais.

PARALELOS DE PALAVRAS

Pode-se usar esse tipo de paralelo quando nem o conjunto da frase nem o contexto são suficientes para explicar uma palavra duvidosa. Assim, procura-se algumas vezes obter seu verdadeiro significado pela consulta de outros textos em que tal palavra ocorre. Outras vezes, tratando-se de nomes próprios, pode-se recorrer ao mesmo procedimento a fim de pôr em destaque fatos e verdades que de outro modo perderiam sua importância e significado.

Em Gálatas 6.17, Paulo diz: "Trago em meu corpo as marcas de Jesus". Que eram essas marcas? Nem o conjunto da frase nem o contexto as explicam. Portanto, vamos nos dirigir às passagens paralelas. Em 2Coríntios 4.10, Paulo usa a expressão: "Trazemos sempre em nosso corpo o morrer de Jesus", para falar da cruel perseguição que continuamente Cristo padecia, o que nos mostra que essas marcas se relacionam com a perseguição que sofria.

Todavia, ainda há mais luz mediante 2Coríntios 11.23-25. Nessa passagem, o apóstolo afirma ter sido açoitado cinco vezes (com golpes de couro) e três vezes com varas. Tais suplícios eram tão cruéis que, se não deixavam o paciente morto, causavam marcas que permaneciam no corpo por toda a vida. Consultando os paralelos, aprendemos que as marcas no corpo de Paulo não eram chagas ou sinais da cruz milagrosa ou artificialmente produzidas, como julgam alguns, porém marcas ou sinais dos suplícios sofridos pelo Evangelho de Cristo.

Em Gálatas 3.27, o apóstolo diz acerca dos batizados: "... os que em Cristo foram batizados, de Cristo se revestiram". Em que consiste estar revestido de Cristo? Graças às passagens paralelas em Romanos 13.13,14 e Colossenses 3.12-14, tudo se esclarece. Por um lado, estar revestido de Cristo consiste em ter deixado as práticas carnais, como luxúria, dissoluções, contendas e ciúmes; por outro, consiste em haver adotado como uma veste decorosa a prática de uma vida nova, como misericórdia, benevolência, humildade, mansidão, tolerância e, principalmente, amor. Essas novas atitudes eram simbolizadas pelos primeiros cristãos em seu batismo, deixando-se sepultar e levantar como sinal de morte para as práticas mundanas e de ressurreição para uma nova vida e suas correspondentes práticas espirituais. Desse modo, ao consultarmos os paralelos, aprendemos que estar revestido de Cristo não significa adotar alguma túnica ou veste sagrada, mas adornos espirituais ou morais próprios da fé cristã simples, santa e pura (v. 1Pe 3.3-6).

Conforme lemos em Atos 13.22, Davi foi um homem segundo o coração de Deus. A passagem com essa expressão apresenta-nos Davi como modelo de perfeição? De fato não, já que a Bíblia não esconde as muitas e graves faltas dele, tampouco os correspondentes castigos. Então, como e em que sentido ele foi segundo o coração de Deus? Busquemos os paralelos.

Em 1Samuel 2.35, Deus disse: "Levantarei para mim um sacerdote fiel, que agirá de acordo com o meu coração". Disso resulta, tomando toda a passagem em consideração, que Davi, especialmente na qualidade de sacerdote-rei, procederia segundo o coração ou a vontade de Deus. Essa ideia se encontra também plenamente confirmada na passagem paralela de 1Samuel 13.14, onde verificamos que Davi, em vista do rebelde Saul e contrário à sua má conduta como rei, seria um homem segundo o coração de Deus. Como vemos pela história e pelos seus salmos, Davi foi em geral um homem piedoso e, em muitos casos, digno de imitação, porém não estamos autorizados pelos paralelos de nossa passagem a considerá-lo modelo de perfeição.

Um exemplo da utilidade de consultar os paralelos em relação aos nomes próprios está no relato de Balaão, nos capítulos 22 e 24 de Números, que nos deixa em dúvida quanto a ele e a seu verdadeiro caráter. Ele foi realmente profeta? E, nesse caso, qual foi a causa de sua queda? Consultando os paralelos do Novo Testamento, verificamos, mediante 2Pedro 2.15,16 e Judas 11, que ele foi um pretenso profeta que agia levado pela paixão da cobiça; e mediante Apocalipse 2.14, vemos que pelas instigações dele Balaque fez os israelitas caírem em tão grande pecado, que lhes custou a destruição de 23.000 pessoas.

Vale a pena observar também que por esse estudo de paralelos são esclarecidas outras aparentes contradições. Por exemplo, em 1Crônicas 21.11,12, Gade oferece a Davi, da parte de Deus, o castigo de três anos de fome, ao passo que, em 2Samuel 24.13 (aec), pergunta a Davi se quer sete anos de fome. Como ele pôde perguntar ao rei se queria sete anos e, ao mesmo tempo, lhe oferecer três anos? Simplesmente porque pelo paralelo de 2Samuel 21.1, na pergunta de Gade, compreendemos que considera os três anos de fome já passados com os que estão passando, enquanto no oferecimento dos três anos só se refere ao porvir.

Ao consultar esse tipo de paralelos, é importante proceder como é apresentado a seguir. Em primeiro lugar, buscar o paralelo, ou seja, a elucidação da palavra obscura no mesmo livro ou autor em que se encontra, depois nos demais da mesma época e, por fim, em qualquer livro das Escrituras. Isso é necessário porque, às vezes, o sentido de uma palavra varia conforme o autor que a usa, a época em que foi empregada e ainda, como já temos dito, conforme o texto em que ocorre no mesmo livro.

Um exemplo de que diversos autores empregam uma mesma palavra em sentido diferente pode ser encontrado nas cartas de Paulo e Tiago. Nelas a palavra "obras", quando citada em Romanos e Gálatas, significa o oposto à fé, isto é, as práticas da lei antiga como fundamento para a salvação. Na carta de Tiago, a mesma palavra surge sempre no sentido da obediência e santidade que a verdadeira fé em Cristo produz. Nesse caso, e em casos semelhantes, não é possível entender o sentido sem a busca nos paralelos, preferencialmente nos do mesmo livro ou nos livros do autor estudado.

Entretanto, percebemos que às vezes um mesmo autor emprega certa palavra em sentido diferente. Também nesse caso, uma expressão explica a outra. Lendo Atos 9.7, sabemos que os companheiros de Saulo, no caminho de Damasco, ouviram a voz do Senhor, enquanto em Atos 22.9 eles "não entenderam a voz" ou, conforme outra versão, "não ouviram a voz". Isso ocorre porque entre os gregos a palavra "ouvir" era usada no sentido de entender. Portanto, eles ouviram a voz e *não* a ouviram, ou seja: ouviram o ruído, porém não entenderam as palavras.

Do mesmo modo distinguimos entre "ver" e "ver", tal como o faziam os hebreus, usando a palavra em sentido diferente. Assim, lemos em Gênesis 48.8,10 o relato de que Israel "viu" os filhos de José e, em seguida, "os olhos de Israel já estavam enfraquecidos por causa da idade avançada, e ele mal podia enxergar". Isso significa que ele os viu confusamente, e não com clareza, sendo necessário colocá-los perto, conforme o contexto. Portanto, vale dizer que se devem buscar os paralelos em primeiro lugar em um mesmo autor, mas sem ter a expectativa de que todas as expressões iguais sirvam de paralelos.

O termo "arrepender-se" é uma prova de como pode mudar o significado de uma palavra segundo a época em que se emprega. No Novo Testamento, essa expressão é usada constantemente no sentido de "o pecador mudar de mente", ou seja, mudar de opinião, de convicção íntima, de sentimento. No Antigo Testamento, ela tem significados tão diferentes que tão somente o contexto pode fornecer explicação em cada caso. Tanto é assim que, no at se diz do próprio Deus que se arrependeu, expressão que nunca é empregada pelos autores do Novo Testamento quando se referem a Deus, exceto no caso de citarem o at. É evidente que esse arrependimento de Deus tem sentido diferente do arrependimento de um homem.

Assim, vale recapitular: é preciso buscar os paralelos primeiramente em um mesmo autor e, em segundo lugar, nos escritos que datam de uma mesma época (de preferência, nas Escrituras como um todo), lembrando que nem todas as expressões iguais podem ser usadas como paralelos.

PERGUNTAS

1. Qual é a quinta regra?
2. O que se entende por "paralelos"?
3. Por que se devem consultar os paralelos?

4. Que tipos de paralelos existem?
5. Que se entende por "paralelos de palavras"?
6. Como se explica a palavra "marcas" em Gálatas 6.17?
7. Por que "revestidos" não significa estar coberto com a túnica batismal ou veste decorosa em Gálatas 3.27?
8. Como se obtém o verdadeiro sentido da expressão "homem segundo o coração de Deus"?
9. Para que servem os paralelos no caso de nomes próprios?
10. Como se elucidam as aparentes contradições por meio dos paralelos?
11. Como se deve proceder ao consultar os paralelos de palavras?
12. Dê exemplos em que se demonstre a necessidade de buscar paralelos em um mesmo autor e em uma mesma época.

Caso o estudo dos paralelos estivesse sempre presente, muitos erros seriam evitados, e menos falsos ensinamentos seriam propagados.

10
Quinta regra: segunda parte

PARALELOS DE IDEIAS

Para atingir uma ideia completa e exata do que ensinam as Escrituras, nesse ou naquele determinado texto, obscuro ou discutível, não apenas são consultadas as palavras paralelas, mas também os ensinos, as narrativas e os fatos contidos em passagens ou textos elucidativos que se relacionem com o texto obscuro ou discutível. Tais textos ou passagens recebem o nome de *paralelos de ideias*.

Jesus, ao instituir a ceia, ofereceu o cálice aos discípulos, dizendo: "Bebam dele todos vocês" (Mt 26.27). Isso significa que somente os ministros da religião devem participar do vinho na ceia com exclusão da congregação? Que ideia nos proporcionam os paralelos?

Em 1Coríntios 11.22-29, nada menos que seis versículos consecutivos nos apresentam o "comer do pão e beber do cálice do Senhor" como fatos inseparáveis na ceia, destinando os elementos a todos os membros da igreja, sem distinção. Desse modo, é invenção humana, destituída de fundamento bíblico, o fato de alguns participarem do pão e outros do vinho na comunhão.

Quando Jesus disse: "Sobre esta pedra edificarei a minha igreja" (Mt 16.18), ele constituiu a Pedro como fundamento da igreja, estabelecendo o primado de Pedro e dos papas, como afirmam os papistas? É importante observar primeiro que Cristo não disse: "Sobre ti, Pedro". Nada melhor que os paralelos que as palavras de Cristo e Pedro, respectivamente, oferecem para determinar esse assunto, ou seja, o significado do texto.

Portanto, em Mateus 21.42,44, vemos o próprio Jesus como a pedra fundamental ou "pedra angular", profetizada e caracterizada no Antigo Testamento. E mesmo Pedro, em conformidade com essa ideia, declara que Cristo é a *pedra viva, a principal pedra angular* (1Pe 2.4,8). Paulo confirma e explica a mesma ideia, dizendo aos membros da igreja de Éfeso que eles são "edificados sobre o fundamento dos apóstolos e dos profetas, sendo o próprio Cristo Jesus a principal pedra angular. Nele todo o edifício bem ajustado cresce para templo santo no Senhor" (Ef 2.20,21, aec). Acerca desse fundamento da igreja, lançado pela pregação de Paulo "como sábio construtor" entre os coríntios, o apóstolo disse: "Pois ninguém pode pôr outro fundamento, além do que já está posto, o qual é Jesus Cristo" (1Co 3.10,11, AEC).

Comparando esse e outros paralelos, chegamos à conclusão de que nesse texto Cristo não constitui a Pedro como o fundamento da sua igreja.

Tratando-se desse tipo de paralelos, o procedimento reside, portanto, em entender as passagens obscuras mediante paralelos mais claros; as expressões figurativas mediante os textos paralelos próprios e sem figura; e as ideias sumariamente expressas mediante paralelos mais extensos e explícitos. A seguir, vejamos mais três exemplos.

Em 1Pedro 4.8, o amor aos crentes é muito enfatizado, *porque o amor cobre uma multidão de pecados* (aec). Como explicar esse texto obscuro? Pelo contexto e ao compará-lo com 1Coríntios 13 e Colossenses 1.4, compreendemos que a palavra "amor" aqui é usada no sentido de amor fraternal. Porém, em que sentido o amor fraternal cobre muitos pecados? Em Romanos 4.8 e em Salmos 32.1, vemos o pecado perdoado sob a figura de "pecado coberto" (aec), ou apagado, enterrado no esquecimento, como nós diríamos. Consultando o conteúdo de Provérbios 10.12, citado por Pedro na passagem aqui mencionada, compreendemos que o amor fraternal cobre muitos pecados no sentido de perdoar as ofensas recebidas dos irmãos, sepultando os pecados no esquecimento, ao contrário do ódio, que desperta discórdia e aviva o pecado.

Vale dizer que não se trata aqui, portanto, de merecer o perdão dos próprios pecados mediante obras de caridade, nem de encobrir pecados próprios e alheios mediante fingimentos e desculpas, como erroneamente desejam os que não se preocupam em consultar os paralelos, explicando a Escritura pela Escritura.

Conforme Gálatas 6.15, para Cristo o que importa é ser *nova criatura*. Que significa essa expressão figurada? Consultando o paralelo de 2Coríntios 5.17, verificamos que nova criatura é alguém que "está em Cristo" e para quem "as coisas velhas já passaram, tudo se fez novo" (aec). Já em Gálatas 5.6 e 1Coríntios 7.19, temos a nova criatura como a pessoa que tem fé e obedece aos mandamentos de Deus.[a]

Em Filipenses 3.9, Paulo expõe de forma simples a ideia da justificação pela fé, dizendo que deseja ser

---

[a] Em Gálatas 5.6, o que importa para Cristo Jesus é "a fé que atua pelo amor" [N. do E.].

encontrado em Cristo. E acrescenta: "... não tendo a minha própria justiça que procede da Lei, mas a que vem mediante a fé em Cristo, a justiça que procede de Deus e se baseia na fé". Para obter clareza dessa ideia, é preciso recorrer a numerosas passagens das cartas aos romanos e aos gálatas, nas quais se explica extensamente como pela lei todo homem é réu convicto diante de Deus e como pela fé na morte de Cristo, em lugar do pecador, o homem, sem nenhum mérito próprio, é declarado justo e absolvido pelo próprio Deus.

PERGUNTAS

1. Que se entende por "paralelos de ideias"?
2. Como se explica a palavra "todos" no mandamento que diz: "Bebam dele todos vocês" na ordem da comunhão?
3. Como se prova que Pedro não é a pedra que Jesus menciona em Mateus 16.18?
4. Qual é o procedimento no estudo dos paralelos de ideias?
5. Segundo as Escrituras, como é que o amor cobre o pecado?
6. Como se demonstra o verdadeiro sentido da expressão "nova criatura" em Gálatas 6.15?
7. De que maneira se obtém total clareza em relação à ideia da "justificação pela fé"?

11
Quinta regra: terceira parte

PARALELOS DE ENSINOS GERAIS

Para o esclarecimento e a correta interpretação de determinadas passagens, os paralelos de palavras e ideias não são suficientes. Será necessário, então, recorrer ao teor geral, ou seja, aos *ensinos gerais* das Escrituras. Temos indicações desse tipo de paralelos na própria Bíblia: nas expressões que falam de ensinar conforme as Escrituras, de ser anunciada essa ou aquela coisa pela boca de todos os profetas e de os profetas (ou pregadores) usarem seu dom conforme a medida da fé, isto é, segundo a analogia ou regra da doutrina revelada (1Co 15.3,14; At 3.18; Rm 12.6).

Lemos nas Escrituras: "O homem é justificado pela fé, independente da obediência à Lei" (Rm 3.28). Ora, se nesse caso alguém entende como ensinamento que o homem de fé fica livre das obrigações de viver uma vida santa e de conformidade com os preceitos divinos, tal pessoa comete um erro, mesmo consultando um texto paralelo. É preciso consultar o teor ou doutrina geral do texto bíblico que trata do assunto. Feito isso, observa-se que essa interpretação é falsa, já que contraria por inteiro o espírito ou desígnio do Evangelho, que em todas as partes previnem os crentes contra o pecado, exortando-os à pureza e à santidade.

Segundo o teor ou ensino geral das Escrituras, Deus é um espírito onipotente, puríssimo, onisciente, santíssimo, onipresente, verdade esta observada em numerosas passagens bíblicas. Todavia, há textos que, aparentemente, nos apresentam a Deus como ser humano, limitando-o a tempo ou lugar, diminuindo em algum sentido a sua pureza ou a sua santidade, o seu poder ou a sua sabedoria. Esses textos devem ser interpretados à luz dos chamados ensinos gerais.

O fato de existirem tais textos, que à primeira vista não parecem harmonizar com esse teor das Escrituras, deve-se à linguagem figurada da Bíblia e à incapacidade da mente humana de abraçar a verdade divina em sua totalidade.

Quando as Escrituras afirmam: "O Senhor faz tudo com um propósito; até os ímpios para o dia do castigo" (Pv 16.4), estarão aqui ensinando que Deus criou o ímpio para condená-lo, como alguns interpretam o texto? Certamente que não, pois o teor das Escrituras, em numerosos trechos, mostra que Deus não quer a morte do ímpio, não quer que ninguém pereça, mas que todos se arrependam. Portanto, o significado da última parte da passagem deve ser que o Criador de todas as coisas, no dia do castigo, saberá valer-se inclusive do ímpio para cumprir os seus adoráveis desígnios. Quantas vezes, pela divina providência, os malvados não tiveram de servir qual açoite e praga a outros, castigando a si próprios ao mesmo tempo!

PARALELOS APLICADOS À LINGUAGEM FIGURADA

Algumas vezes é necessário consultar os paralelos para determinar se uma passagem deve ser tomada ao pé da letra ou em sentido figurado. Não raro, os profetas nos apresentam Deus, por exemplo, com um cálice na mão, dando de beber aos que ele quer castigar, caindo estes por terra, embriagados e aturdidos (Na 3.11; Hc 2.16; Sl 75.8). Essa representação, breve e sem explicação em certos textos, encontra-se explicada no paralelo de Isaías 51.17,22,23, no qual aprendemos que o cálice é o furor da ira ou justa indignação de Deus, e o aturdimento ou embriaguez, assolações e quebrantamentos insuportáveis.

A propósito da linguagem figurada, é preciso aqui recordar que alguma semelhança ou igualdade entre duas coisas, pessoas e fatos, justifica a comparação e uso da figura. Desse modo, se existe certa correspondência entre o sentido figurado de uma palavra e seu sentido literal, não é necessário, como tampouco é possível, que tudo quanto inclui a figura se encontre no sentido literal. Pela mesma razão, por exemplo, quando Cristo chama os discípulos de ovelhas, é natural que não apliquemos a eles todas as qualidades que a palavra "ovelha" contém, sendo ela aqui usada em sentido figurado. Em casos assim, basta o sentido comum para determinar os pontos de comparação.

Compreendemos desse modo que a simbologia de Cristo como Cordeiro se refere somente à mansidão de seu caráter e a seu sacrifício, tal como o cordeiro sem mácula o era entre os israelitas. Da mesma forma, compreendemos em que sentido o pecado é chamado de dívida; a redenção, de pagamento da dívida; e o perdão, de remissão da dívida ou da culpa.

É evidente que o sentido de tais expressões não deve ser levado a extremos. Não se admite como consequência de Cristo ter morrido pelos pecadores, por exemplo, que todos os pecadores sejam salvos. Ou do fato de Cristo ter cumprido toda a lei por nós, não resulta daí que tenhamos o direito de viver no pecado. Ou ainda: por estar o homem morto no pecado, não quer dizer que está de tal modo morto que não possa se arrepender e também fique sem culpa se deixar de ouvir o chamado do Evangelho.

Tratando-se de figuras de objetos materiais, não será difícil determinar o exato número de realidades ou pontos de comparação que cada figura designa, assim como não haverá dificuldade em achar a consequência lícita ou ensino positivo que compreende cada ponto. São as figuras tomadas da natureza humana ou da vida comum que oferecem maiores dificuldades.

Muitos se distraem ou se contentam formando castelos de doutrinas sem fundamento, rebuscando e comparando tais figuras e símiles, tirando consequências ilícitas, e mesmo contrárias às Escrituras. O espírito humano parece encontrar gosto especial em semelhantes fabricações caprichosas e jogos de palavras. E isso apenas ressalta a necessidade de estudar as figuras com moderação especial e sempre com toda a seriedade.

PERGUNTAS

1. Que são "paralelos de ensinos gerais"?
2. Como se evita a interpretação falsa da expressão "justificação independente da obediência à Lei"?
3. Como explicar as expressões que nos apresentam Deus como um ser limitado?
4. Por que ocorrem essas expressões?
5. Como se obtém o correto sentido do texto que diz que Deus fez o ímpio, o malvado, para o dia do castigo?
6. Por que razão se deve recorrer aos paralelos tratando-se de linguagem figurada?
7. Em que condição se permite o uso de uma figura de retórica?
8. Por que não se deve buscar o equivalente de todas as circunstâncias das figuras?
9. Com que espírito se devem estudar e compreender as figuras ou símbolos das Escrituras?

12
Repetição e observações

Repetindo e resumindo algo do que foi tratado nas lições anteriores, é útil recordamos e levarmos em consideração os seguintes pontos:

- O primeiro requisito para o bom entendimento das Escrituras é um espírito de discípulo humilde. Tanto é assim, que uma pessoa comparativamente com menos instrução, mas que de forma humilde invoca a luz do Espírito de Deus no estudo da Bíblia, conseguirá conhecimentos bíblicos exatos com mais facilidade do que um homem de talento e sabedoria humana que, preocupado e necessitando do espírito de discípulo, realiza seu estudo.

- As grandes doutrinas e os princípios do cristianismo estão expostos com clareza nas Escrituras.

- Por conseguinte e certamente, apenas se invocam as regras de interpretação para atingir o significado verdadeiro dos pontos obscuros e de difícil compreensão.

- Apesar disso, é de grande importância que até o cristão mais humilde tenha alguma ideia de tais regras e de sua aplicação, já que é dever dele aprofundar-se nas Escrituras, firmar-se em suas verdades e familiarizar-se com elas para o próprio proveito dele e para poder iluminar aqueles que as contradizem.

- Para conhecer o sentido inato da Bíblia, ela mesma deve ser sua própria intérprete.

- O verdadeiro sentido dos textos bíblicos é alcançado mediante o significado de suas palavras; e assim, pela aquisição do verdadeiro sentido das palavras, se alcança o verdadeiro sentido de seus textos.

- Em nenhum momento se deve esquecer que o significado das palavras está determinado pela singularidade e uso da linguagem bíblica, devendo-se, portanto, buscar o conhecimento do sentido em que as palavras são usadas, antes de tudo, na própria Bíblia.

- As palavras deverão ser tomadas no sentido que normalmente possuem, se tal sentido não estiver manifestamente contrário a outras palavras da frase em que ocorrem, com o contexto e com outras partes das Escrituras.

- No caso de haver uma palavra com significado diferente, oferecendo-se assim ou de outro modo um ponto obscuro, deve-se recorrer às regras acima citadas a fim de obter o sentido exato que intentava o autor inspirado, ou melhor, o próprio Espírito de Deus.

- Uma doutrina pode apenas ser considerada bíblica, e portanto exata, quando não divergir do ensino geral das Escrituras.

Ao verificar, desse modo, qual o verdadeiro significado de uma passagem das Escrituras, é preciso que nos façamos estas perguntas:

- Qual é o significado de suas palavras?

Se elas não apresentam mais que um significado, já possuímos o verdadeiro sentido. Porém, se há alguma com mais de um sentido, passamos a outra pergunta:

- Que sentido requer o restante da frase?

Se em resposta encontramos dois ou três sentidos, então perguntamos:

- Qual é o sentido que requer o contexto para que se obtenha um sentido harmônico de toda passagem?

Se ainda couber dar-lhe mais de um sentido, perguntemos:

- Qual é o sentido que requer o desígnio ou objetivo geral da passagem ou livro em que se encontra?

E se após todas essas perguntas ainda obtivermos mais de uma resposta, deveremos perguntar:

- Qual é o sentido que requerem outras passagens das Escrituras?

Se acaso, em resposta a tantas averiguações, fosse ainda possível encontrar mais de um significado, poderíamos considerar como verdadeiros ambos os significados, devendo-se certamente preferir como verdadeira a interpretação que reúna mais condições.

É importante repetir que o procedimento anteriormente indicado e as regras estudadas aqui são tão justos quanto necessários, não somente para a interpretação de todo tipo de linguagem das Escrituras, mas também para o correto entendimento e compreensão de toda linguagem ou documento usado na vida comum.

PERGUNTAS

1. Qual é o principal requisito para compreender as Sagradas Escrituras?
2. Como estão expressos os grandes princípios do Cristianismo nas Escrituras?
3. Quando as regras de interpretação são úteis?
4. Por que convém que todo cristão tenha conhecimento da correta interpretação das Escrituras?
5. Quem é o intérprete fundamental da Bíblia?
6. Como se obtém o verdadeiro sentido de seus textos?
7. Em que livro se busca o sentido das palavras bíblicas?
8. Em que sentido as palavras geralmente devem ser tomadas?

9. Qual é o procedimento quando uma palavra apresenta vários sentidos?

10. Quando é que determinada doutrina é totalmente bíblica?

11. Para verificar o verdadeiro sentido de uma passagem, que perguntas devemos formular e por quê?

13
Figuras de retórica: primeira parte

Vimos na primeira regra que para a correta compreensão das Escrituras é necessário, na medida do possível, tomar as palavras em seu sentido usual e comum; e todavia, por causa da linguagem figurada da Bíblia e de seus hebraísmos, nem sempre a interpretação deverá ser feita ao pé da letra. Já observamos também que é preciso familiarizar-se com essa linguagem para chegar a compreender, sem dificuldade, qual o sentido usual e comum das palavras.

Para que o leitor obtenha em parte essa familiaridade, apresentaremos a seguir uma série de figuras e hebraísmos com seus respectivos exemplos. Tanto as figuras quanto os hebraísmos precisam ser estudados detidamente e repetidas vezes. Como veremos, as figuras retóricas da linguagem bíblica são as mesmas que em outros idiomas; e não é tanto para seus nomes, meio estranhos, quanto para os exemplos que lhes seguem que chamamos a atenção.

METÁFORA

Essa figura se baseia em alguma semelhança entre dois objetos ou fatos, em que um deles se caracteriza com o que é próprio do outro.

Ao dizer: "Eu sou a videira verdadeira" (Jo 15.1), Jesus se caracteriza com o que é próprio e essencial da videira; e ao dizer aos discípulos: "Vocês são os ramos" (v. 5), ele caracteriza-os com o que é próprio dos ramos. Para a boa interpretação dessa figura, perguntamos então: o que caracteriza a videira? Ou mesmo: para que ela serve principalmente? Nas respostas a tais perguntas reside a explicação da figura. Para que serve uma videira? Para transmitir seiva e vida aos ramos, a fim de produzirem uvas. E isso, portanto, é o que em sentido espiritual caracteriza a Cristo Jesus. Ou seja: como uma videira ou tronco verdadeiro, comunica vida e força aos crentes para que, a exemplo dos ramos que geram uvas, eles produzam os frutos da vida cristã.

Esse procedimento deve ser aplicado na interpretação de outras figuras do mesmo tipo, como por exemplo: "Eu sou a porta" (Jo 10.9); "Eu sou o caminho" (Jo 14.6); "Eu sou o pão vivo" (Jo 6.51); "Vocês são o sal... a luz" (Mt 5.13,14); "Edifício de Deus" (1Co 3.9); "Vão dizer àquela raposa" (Lc 13.32); "Os olhos são a candeia do corpo" (Mt 6.22); "Judá é um leão novo" (Gn 49.9); "És a minha rocha e a minha fortaleza" (Sl 71.3); "O Senhor Deus é sol e escudo" (Sl 84.11); "A descendência de Jacó será um fogo, e a de José uma chama; a descendência de Esaú será a palha" (Ob 18).

SINÉDOQUE

A presente figura aparece quando se toma a parte pelo todo ou o todo pela parte, o plural pelo singular, o gênero pela espécie, ou vice-versa.

O salmista toma a parte pelo todo quando diz: "A minha carne repousará segura" (Sl 16.9, aec), em lugar de dizer "meu corpo" ou "meu ser", que seria o todo; sendo a "carne" apenas parte de seu ser.

O apóstolo toma o todo pela parte quando se refere à ceia do Senhor: "Todas as vezes que... beberdes este cálice" (1Co 11.26, aec), em lugar de dizer "beberdes *do* cálice", isto é, parte do que há no cálice.

Já os acusadores de Paulo tomam também o todo pela parte ao dizerem: "Este homem é uma peste, e promotor de sedições entre todos os judeus, por *todo o mundo*" (At 24.5, aec; grifo do autor); significando tal expressão aquela parte do mundo ou do Império Romano que o apóstolo havia alcançado com sua pregação.

METONÍMIA

Essa figura é empregada quando existe entre objetos uma relação de causa e efeito, de continente e conteúdo, de lugar e produto, de matéria e objeto, de abstrato e concreto, de autor e obra ou, ainda, de sinal ou símbolo pela realidade que o símbolo indica.

Jesus se utiliza dessa figura empregando a causa pelo efeito, ao dizer: "Eles têm Moisés e os Profetas; que os ouçam" (Lc 16.29), em vez de afirmar que eles têm os escritos de Moisés e dos profetas, ou seja, o Antigo Testamento.

Jesus emprega também o sinal ou símbolo pela realidade que indica o sinal, ao dizer a Pedro: "Se eu não os lavar [os pés], você não terá parte comigo" (Jo 13.8). Aqui, Jesus emprega o sinal de lavar os pés pela realidade de purificar a alma, porque ele mesmo dá a entender que ter parte com ele não depende da lavagem dos pés, mas da purificação da alma.

Do mesmo modo, João se utiliza dessa figura, empregando o sinal pela realidade que indica o sinal, ao dizer: "O sangue de Jesus, seu Filho, nos purifica de todo pecado" (1Jo 1.7). Portanto, é evidente que a palavra "sangue" aqui indica toda a paixão e morte expiatória de Jesus, única coisa capaz de levar ao perdão do pecado e dele purificar o homem (1Jo 1.7).

PROSOPOPEIA

Essa figura é usada quando se personificam as coisas inanimadas, atribuindo-lhes feitos e ações de pessoas.

O apóstolo fala da morte como de uma pessoa que pode alcançar vitória ou sofrer derrota, ao perguntar: "Onde está, ó morte, o seu aguilhão?" (1Co 15.55). Já Pedro se utiliza dessa mesma figura falando do amor, referindo-se à pessoa que ama, quando diz: "O amor cobre uma multidão de pecados" (1Pe 4.8, aec).

É constante o uso desse tipo de figura retórica na linguagem poética do Antigo Testamento, o que confere ao texto beleza, vivacidade e animação impressionantes. Um exemplo disso está nestas palavras do profeta: "Os montes e colinas irromperão em canto diante de vocês, e todas as árvores do campo baterão palmas" (Is 55.12). Vale aqui observar que, em casos como esse, não se trata somente de simples personificação das coisas inanimadas, mas de uma simbolização pelas mesmas, pois os montes e colinas representam pessoas eminentes, enquanto as árvores retratam as pessoas humildes. E tanto uns quanto os outros louvam, exultantes, o Redentor diante dos seus mensageiros.

Outro caso de personificação grandiosa ocorre em Salmos 85.10,11. Nessa passagem, faz-se referência à abundância de bênçãos próprias do reinado do Messias nestes termos: "O amor e a fidelidade se encontrarão; a justiça e a paz se beijarão. A fidelidade brotará da terra, e a justiça descerá dos céus".

IRONIA

O uso dessa figura é verificado quando se expressa o contrário do que se quer dizer, porém sempre ressaltando o sentido verdadeiro.

Paulo emprega tal figura quando chama os falsos mestres de "superapóstolos", dando a entender, ao mesmo tempo, que de nenhum modo são apóstolos (2Co 11.5; 12.11). Em outra passagem (v. 11.13), ele deixa claro quem são realmente esses "tais apóstolos" (aec).

O profeta Elias serve-se da mesma figura quando, no Carmelo, disse aos sacerdotes do falso deus Baal: "Gritem mais alto! [...] Talvez esteja dormindo e precise ser despertado" (1Rs 18.27), dando-lhes a compreender, por sua vez, que era de todo inútil gritarem.

Também Jó se utiliza dessa figura ao dizer a seus amigos: "Sem dúvida vocês são o povo, e a sabedoria morrerá com vocês!" (Jó 12.2); desse modo, Jó faz com que eles saibam que estavam muito longe de serem tais sábios.

HIPÉRBOLE

Também chamada de exageração, é a figura pela qual se representa uma coisa em proporção muito maior ou menor a fim de apresentá-la viva à imaginação. Tanto a ironia como a hipérbole são pouco usadas nas Escrituras.

Fazem uso da hipérbole os exploradores da terra de Canaã quando voltam para contar o que ali haviam visto, dizendo: "Vimos ali gigantes [...], e éramos aos nossos próprios olhos como gafanhotos", "as cidades são grandes e fortificadas até o céu" (Nm 13.33; Dt 1.28, aec). Daí se vê que os exploradores falavam como hoje em dia uma pessoa diria normalmente a outra: "Já lhe avisei mil vezes", querendo dizer tão somente: "Já lhe avisei muitas vezes".

João igualmente se utiliza da hipérbole ao dizer: "Jesus fez também muitas outras coisas. Se cada uma delas fosse escrita, penso que *nem mesmo no mundo inteiro* haveria espaço suficiente para os livros que seriam escritos" (Jo 21.25; grifo do autor).

PERGUNTAS

1. Que se entende por metáfora?
2. Que é sinédoque?
3. Que é metonímia?
4. Que é prosopopeia?
5. Que é ironia?
6. Que é hipérbole?

Exemplifique cada uma das figuras de retórica.

14
Figuras de retórica: segunda parte

Não somente determinadas palavras são empregadas em sentido figurado nas Escrituras, como também textos e passagens inteiras algumas vezes. Tanto é assim, que temos o uso da alegoria, da fábula, do enigma, do tipo, do símbolo e da parábola, figuras que ocorrem também em outra classe literária.

ALEGORIA

A alegoria é uma figura de retórica que consta em geral de várias metáforas unidas, representando cada uma delas realidades correspondentes. Costuma ser tão palpável a natureza figurativa da alegoria, que uma interpretação ao pé da letra quase que se torna impossível. Algumas vezes, a alegoria está acompanhada, como a parábola, da interpretação que exige.

Jesus nos faz tal exposição alegórica ao dizer: "Eu sou o pão vivo que desceu do céu. Se alguém comer deste pão, viverá para sempre. Este pão é a minha carne, que eu darei pela vida do mundo. [...] Todo aquele que come a minha carne e bebe o meu sangue tem a vida eterna" (Jo 6.51,54). Essa alegoria tem sua interpretação na mesma passagem bíblica, ou seja, João 6.51-65.

Outra alegoria é apresentada pelo salmista (Sl 80.8-13) ao representar os israelitas, sua peregrinação do Egito a Canaã e sua sucessiva história, sob a figura metafórica de uma videira com suas raízes, ramos, brotos etc. Na alegoria, a videira, depois de ser transferida de lugar, lança raízes e se estende, porém mais tarde acaba mutilada por javalis da floresta e comida pelas criaturas do campo (com os javalis e as criaturas representando poderes gentílicos, idólatras).

Ainda outra alegoria nos apresenta o povo israelita na figura de uma vinha na encosta de uma fértil colina (Is 5.1-7). Apesar dos melhores cuidados, a vinha não deu mais do que uvas azedas, silvestres. Essa alegoria também está acompanhada da explicação correspondente: "Pois bem, a vinha do Senhor dos Exércitos é a nação de Israel, e os homens de Judá são a plantação que ele amava" (v. 7).

FÁBULA

Pouco usada nas Escrituras, a fábula é uma alegoria histórica na qual um fato ou alguma circunstância se expõe em forma de narração mediante a personificação de coisas ou de animais.

Lemos em 2Reis 14.9: "O espinheiro do Líbano enviou uma mensagem ao cedro do Líbano: 'Dê sua filha em casamento a meu filho'. Mas um animal selvagem do Líbano veio e pisoteou o espinheiro". Com essa fábula, Jeoás, rei de Israel, respondeu ao desafio de guerra que lhe havia feito Amazias, rei de Judá. Na passagem, Jeoás se compara ao robusto cedro do Líbano e humilha seu orgulhoso contendor, igualando-o a um débil espinheiro, desfazendo toda aliança entre ambos os reis e predizendo a ruína de Amazias com a expressão "um animal selvagem do Líbano pisoteou o espinheiro".

ENIGMA

O enigma é igualmente um tipo de alegoria, porém de difícil solução.

Em Juízes 14.14, Sansão propôs aos filisteus o seguinte enigma: "Do que come saiu comida; do que é forte saiu doçura". A solução se encontra no próprio texto bíblico.

Já em Provérbios 30.24, encontramos este enigma: "Quatro seres da terra são pequenos, e, no entanto muito sábios". A solução desse enigma de Agur também está na sequência da mesma passagem.

TIPO

O tipo é uma classe de metáfora que não consiste meramente em palavras, mas em fatos, pessoas ou objetos que designam fatos semelhantes, pessoas ou objetos no porvir. Numerosas nas Escrituras, essas figuras são chamadas de *sombra dos bens vindouros* e estão presentes no Antigo Testamento.

Jesus mesmo faz referência à serpente de metal levantada por Moisés no deserto, como tipo, prefigurando a crucificação do Filho do homem (Jo 3.14). Em outra passagem, Cristo se refere ao conhecido episódio de Jonas, como tipo, para prefigurar o seu sepultamento e ressurreição (Mt 12.40).

Paulo nos apresenta o primeiro Adão como tipo, prefigurando o segundo Adão, Cristo Jesus; e também o Cordeiro pascal como o tipo do Redentor (Rm 5.14; 1Co 5.7).

Em especial, a carta aos hebreus faz referência aos tipos do Antigo Testamento. Por exemplo, a referência ao tipo do sumo sacerdote, que prefigurava

Jesus; aos sacrifícios, que prefiguravam o sacrifício de Cristo; e ao santuário do templo, que prefigurava o céu (Hb 9.11-28; 10.6-10).

Vários abusos têm sido cometidos na interpretação de expressões que parecem típicas no Antigo Testamento. Tanto é assim, que devemos aconselhar: 1) aceite como tipo o que como tal é aceito no Novo Testamento; 2) o tipo é inferior ao seu correspondente real e, por consequência, nem todos os detalhes do tipo têm aplicação real; 3) às vezes, um tipo pode prefigurar coisas diferentes; e 4) os tipos, como as demais figuras, não nos foram dados como base e fundamento das doutrinas cristãs, mas para servir-nos de confirmação na fé, ilustrando e apresentando as doutrinas cristãs.

SÍMBOLO

O símbolo é uma espécie de tipo por meio do qual alguma coisa ou fato é representado mediante outra coisa ou fato familiar que se considera a propósito, a fim de servir de semelhança ou representação.

O leão é considerado o rei dos animais da floresta; tanto é assim, que nas Escrituras encontramos a majestade real simbolizada pelo leão. Do mesmo modo, a força é representada pelo cavalo, e a astúcia ou prudência, pela serpente (Ap 5.5; 6.2; Mt 10.16).

Levando em consideração a grande importância que as chaves e seu uso sempre tiveram, nada há de estranho que viessem a simbolizar autoridade (Mt 16.19). Ao lembrar que as portas dos povoados em tempos antigos eram usadas como uma espécie de fortaleza, compreendemos por que, em linguagem simbólica, elas venham a representar força e domínio (Mt 16.18). Tão numeroso é esse tipo de símbolos que acreditamos conveniente apresentar os mais comuns em seção à parte.

Por fim, em relação a fatos simbólicos, vale citar dois aspectos fundamentais. Primeiro, para representar a morte do pecador para o mundo e sua entrada em uma vida nova pela ressurreição espiritual, temos a imersão e saída da água, no batismo (Rm 6.3,4). Em segundo lugar, para representar também, como sabemos, a comunhão espiritual com Jesus e a participação no seu sacrifício, temos a ceia do Senhor (1Co 11.20-26).

PARÁBOLA

A parábola é um tipo de alegoria apresentada em forma de narração, relatando fatos naturais ou acontecimentos possíveis, sempre com o objetivo de ilustrar uma ou várias verdades importantes.

Em Lucas 18.1-7, Jesus expõe a verdade de que é preciso orar sempre e nunca desanimar, ainda que tardemos em receber a resposta. Para gravar nos corações essa verdade, serve-se da parábola de uma viúva persistente e um mau juiz, o qual nem temia a Deus nem se importava com os homens. A viúva comparece perante o juiz pedindo justiça contra o adversário dela. O juiz não faz caso. Mas, em razão de voltar continuamente e importuná-lo, a viúva consegue que o juiz injusto lhe faça justiça. E assim Deus não ouvirá aos seus escolhidos, "que clamam a ele dia e noite? Continuará fazendo-os esperar?".

A parábola do semeador em Mateus 13.3-8 demonstra diversas verdades. A semente cai na terra em quatro pontos diferentes, tendo cada um dos casos sua interpretação (presente no próprio capítulo, v. 18-23). Outra parábola rica em conteúdo é a do joio em Mateus 13.24-30,36-43. Muitas verdades são explicadas também no conjunto de parábolas em Lucas 15: da ovelha perdida, da moeda perdida, do filho pródigo. O mesmo ocorre com a parábola do fariseu e do publicano (Lc 18.10-14) e outras.

Quanto à correta compreensão e interpretação das parábolas, é preciso observar e ressaltar os seguintes pontos:

- Deve-se buscar o objetivo da parábola; em outras palavras, procurar saber qual é a verdade ou quais as verdades que ela demonstra. Feito isso, achamos a explicação da parábola. Vale notar que, às vezes, o objetivo está em sua introdução ou no término. Outras vezes, descobre-se o objetivo dela ao considerar o motivo pelo qual foi empregada.

- Deve-se atentar para os traços principais da parábola, deixando-se de lado o que lhe serve de adorno ou complemento à narrativa. Jesus mesmo nos ensina a proceder assim na interpretação de suas próprias parábolas. Nesse ponto há risco de erro, e para sua melhor compreensão, é proveitoso lembrar o texto de Lucas 11.5-8. Nessa parábola, Cristo ilustra a verdade de que é necessário orar com insistência, valendo-se do exemplo de uma pessoa que necessita de três pães. É noite, e a pessoa vai pedi-los emprestado a um amigo seu que tem a porta fechada e está deitado, bem como seus filhos. Esse amigo preguiçoso não quer se levantar, mas, por insistência e importunação do pedido, o homem consegue o que deseja. É fácil ver nesse exemplo que o homem necessitado e suplicante representa o cristão. Igualmente fácil é entender que o amigo dele representa Deus. Contudo, seria absurdo aplicar a Deus tudo o que se disse do amigo, isto é, que tem a porta fechada, que seus filhos estão deitados e, sendo preguiçoso, não quer se levantar! É evidente que essa parte constitui o que chamamos de adorno da parábola, devendo-se então deixá-la de lado, por não corresponder nem se aplicar à realidade.

- Por fim, além de buscar observar sempre a totalidade da parábola e suas partes principais, deixando de lado detalhes menores, não se deve esquecer que as parábolas, como as demais figuras, servem para demonstrar as doutrinas cristãs e não para produzi-las.

PERGUNTAS

1. Que se entende por "alegoria"?
2. Que é fábula?

3. Que é enigma?
4. Que é tipo?
5. Que é símbolo?
6. Que é parábola?
7. Que circunstâncias especiais devem ser observadas na interpretação da parábola?

Esclareça cada resposta com algum exemplo.

15
Figuras de retórica: terceira parte

Por P. C. Nelson

Desejamos acrescentar aqui algumas figuras de retórica, que o dr. Lund omitiu a fim de tornar sua obra mais concisa. Consideramos útil adicionar esta lição com intenção de facilitar o emprego da presente obra como livro de texto e também para o estudo e a leitura particulares.

SÍMILE

A figura de retórica denominada "símile" procede da palavra latina *similis*, que significa "semelhante" ou "parecido com outro". A palavra é definida pela Enciclopédia Brasileira Mérito desta maneira: "Semelhante; analogia; qualidade do que é semelhante; comparação de coisas semelhantes". A Bíblia contém numerosos e belíssimos símiles que, como janelas de um edifício, deixam penetrar a luz e permitem que os que estão no interior possam dirigir os olhos para fora e contemplar o maravilhoso mundo de Deus.

Em comparação com o símile, a metáfora, por sua vez, é uma comparação implícita, em que as características, qualidades, ações de alguma coisa são aplicadas à outra, como falar de Deus como pastor. Ou ainda: consiste em denominar uma coisa empregando o nome de outra, na esperança de que o leitor ou o ouvinte reconhecerá a semelhança entre o sentido real e o figurado da comparação.

Por exemplo, o Senhor Jesus empregou com respeito a Herodes o qualificativo de "aquela raposa" (Lc 13.32), o que constitui metáfora. Se houvesse dito que Herodes era como uma raposa, teria empregado a figura de retórica denominada símile, mas, nesse caso, teria faltado força à sua declaração. A palavra "raposa" ajustava-se tão bem ao astucioso e malvado rei, que o Senhor não necessitou dizer que Herodes era como uma raposa. No símile, utiliza-se a palavra "como" ou outra similar, enquanto na metáfora ela é dispensada.

Em Salmos 103.11-16, observe a diferença entre símile e metáfora:

- "Pois como os céus se elevam acima da terra, assim é grande o seu amor para com os que o temem" (símile).

- "Como um pai tem compaixão de seus filhos, assim o Senhor tem compaixão dos que o temem" (símile).
- "Pois ele sabe do que somos formados; lembra-se de que somos pó" (metáfora).
- "A vida do homem é semelhante à relva; ele floresce como a flor do campo, que se vai quando sopra o vento e nem se sabe mais o lugar que ocupava" (símile).

Em Isaías 55.8-11, encontramos outra série de símiles, igualmente de rara beleza. Por exemplo:

- "Assim como os céus são mais altos do que a terra, também os meus caminhos são mais altos do que os seus caminhos, e os meus pensamentos, mais altos do que os seus pensamentos".
- "Assim como a chuva e a neve descem dos céus e não voltam para eles sem regarem a terra e fazerem-na brotar e florescer, para ela produzir semente para o semeador e pão para o que come, assim também ocorre com a palavra que sai da minha boca: ela não voltará para mim vazia, mas fará o que desejo e atingirá o propósito para o qual a enviei".

Em seu *Comentário bíblico de Isaías*, o dr. Delitch afirma:

> Os símbolos escolhidos têm um profundo significado alusivo. Assim como a neve e a chuva são causas imediatas de crescimento e também da satisfação que proporcionam os produtos colhidos, assim também a Palavra de Deus abranda e refresca o coração humano, transformando-o em terreno fértil e vegetativo. A Palavra de Deus proporciona também ao profeta (o semeador) a semente para semear, a qual traz consigo o pão que alimenta a alma. O homem vive de toda palavra que procede da boca de Deus (v. Dt 8.3).

Outros dois símiles eficazes referentes ao poder da Palavra de Deus se encontram em Jeremias 23.29, que assim diz: " 'Não é a minha palavra como o fogo', pergunta o Senhor, 'e como um martelo que despedaça a rocha?' ". Compare-a com a poderosa metáfora de Hebreus 4.12.

O profeta Isaías, mediante dois símiles singelos, torna conhecidas as promessas de Deus referentes ao perdão e à limpeza: "Embora os seus pecados sejam vermelhos como escarlate, eles se tornarão brancos como a neve; embora sejam rubros como púrpura, como a lã se tornarão" (Is 1.18). Ele também diz: "Os ímpios são como o mar agitado, incapaz de sossegar e cujas águas expelem lama e lodo" (57.20). E ainda compara os justos a um jardim bem regado e a uma fonte cujas águas nunca faltam (v. 58.11).

Nada é mais inconstante que as ondas marinhas impulsionadas pelo vento. A elas o apóstolo Tiago compara o crente vacilante, que oscila entre a fé e a dúvida: "Peça-a, porém, com fé, sem duvidar, pois aquele que duvida é semelhante à onda do mar, levada e agitada pelo vento".

Os símiles presentes na Bíblia mostram-se como belas e sonoras gravações, de grande valor artístico, que acompanham as verdades, as quais sem esse auxílio seriam captadas precariamente e esquecidas com facilidade.

INTERROGAÇÃO

A palavra "interrogação" procede de um vocábulo latino que significa "pergunta". No entanto, nem todas as perguntas representam figuras de retórica. A pergunta somente é uma figura literária quando ela compreende uma conclusão evidente. A Enciclopédia Brasileira Mérito define a interrogação desta maneira: "Figura pela qual o orador se dirige ao seu interlocutor, ou adversário, ou ao público, em tom de pergunta, sabendo de antemão que ninguém vai responder". Ou ainda: frase formulada como uma interrogação, mas que constitui, na verdade, uma afirmação.

Eis alguns exemplos:

"Não agirá com justiça o Juiz de toda a terra?" (Gn 18.25), o que equivale a dizer que o Juiz de toda a terra agirá com justiça.

"Os anjos não são, todos eles, espíritos ministradores enviados para servir aqueles que hão de herdar a salvação?" (Hb 1.14). Neste versículo o ministério nobre dos anjos é considerado um fato incontestável.

As interrogações presentes em Romanos 8.33-35 significam belos exemplos do poder do uso dessa figura literária. Em forma instintiva, a mente vai da pergunta à resposta em atitude triunfal: "Quem fará alguma acusação contra os escolhidos de Deus? É Deus quem os justifica. Quem os condenará? Foi Cristo Jesus que morreu; e mais, que ressuscitou e está à direita de Deus, e também intercede por nós. Quem nos separará do amor de Cristo? Será tribulação, ou angústia, ou perseguição, ou fome, ou nudez, ou perigo, ou espada?".

"Mas Jesus lhe perguntou: 'Judas, com um beijo você está traindo o Filho do homem?' " (Lc 22.48). Essas palavras eram o mesmo que dizer: "Judas, tu entregas o Filho do homem com um beijo".

No livro de Jó há muitas interrogações, tais como: "Não sabes que desde a antiguidade, desde que o homem foi posto sobre a terra, o júbilo dos ímpios é breve, e a alegria dos ímpios dura apenas um momento?" (v. 20.4,5, aec); e "Você consegue perscrutar os mistérios de Deus? Pode sondar os limites do Todo-poderoso? " (v. 11.7). A resposta de Deus do meio de um redemoinho (Jó 38—40) está expressa em sua maior parte por meio de interrogações.

APÓSTROFE

A apóstrofe se assemelha muito à personificação ou prosopopeia. A palavra "apóstrofe" se origina do termo latino *apostrophe* e este do grego *apo*, que significa "de", e *strepho*, que quer dizer "voltar-se". O vocábulo indica que o orador se volta de seus ouvintes imediatos para dirigir-se a uma pessoa ou coisa ausente ou imaginária. A Enciclopédia Brasileira Mérito nos fornece esta definição: "Figura usada por orador, no discurso; consiste em interrompê-lo subitamente, para dirigir a palavra ou invocar alguma pessoa ou coisa presente, ausente, real ou imaginária. O emprego dessa figura, na eloquência, produz grandes efeitos nos ouvintes".

Quando as palavras são dirigidas a um objeto impessoal, tanto a personificação quanto a apóstrofe se combinam, tal como em 1Coríntios 15.55 e em algumas outras passagens:

"Por que fugir, ó mar? E você, Jordão, por que retroceder? Por que vocês saltaram como carneiros, ó montes? E vocês, colinas, porque saltaram como cordeiros? Estremeça na presença do Soberano, ó terra, na presença do Deus de Jacó! Ele fez da rocha um açude, do rochedo uma fonte" (Sl 114.5-8).

"Ah, espada do Senhor, quando você descansará? Volte à sua bainha, acalme-se e repouse" (Jr 47.6).

Uma das apóstrofes mais impressionantes e conhecidas é o grito do angustiado Davi, por causa da morte de seu filho rebelde: "Ah, meu filho Absalão! Meu filho, meu filho Absalão! Quem me dera ter morrido em seu lugar! Ah, Absalão, meu filho, meu filho!" (2Sm 18.33). Já em Isaías 14.9-32, as palavras dirigidas ao caído rei da Babilônia constituem uma das apóstrofes mais vigorosas da literatura.

A apóstrofe empregada por oradores hábeis, na maioria dos casos, é a forma mais eficiente e persuasiva da retórica. Por exemplo: "Escutem, ó céus, e eu falarei; ouça, ó terra, as palavras da minha boca" (Dt 32.1). Tais palavras nos fazem lembrar Jeremias, que disse: "Ó terra, terra, terra, ouça a palavra do Senhor!" (Jr 22.29). Constitui uma forma enfática de reclamar atenção e realçar a importância do que se fala.

Uma das primeiras menções dessa figura retórica na Bíblia se encontra em Números 21.29: "Ai de você, Moabe! Você está destruído, ó povo de Camos!". A palavra aqui é dirigida à devastadora terra de Moabe como se estivesse presente. E no famoso cântico de Débora e Baraque, a palavra é dirigida aos reis e príncipes ausentes e dominados, como se estivessem presentes: "Ouçam, ó reis! Governantes, escutem! Cantarei ao Senhor, cantarei; comporei músicas ao Senhor, o Deus de Israel" (Jz 5.3).

Vale mencionar aqui mais duas apóstrofes, procedendo desta vez do Mestre. Diante da incredulidade, da indiferença e da resistência das cidades que haviam sido testemunhas das suas maravilhosas obras, Jesus exclamou: "Ai de você, Corazim! Ai de você, Betsaida! Porque se os milagres que foram realizados entre vocês tivessem sido realizados em Tiro e Sidom, há muito tempo elas se teriam arrependido, vestindo roupas de saco e cobrindo-se de cinzas. [...] E você, Cafarnaum, será elevada até ao céu? Não, você descerá até o Hades!" (Mt 11.21,23). Quem não compartilha a angústia do Salvador, quando enfatiza em Mateus 23.37: "Jerusalém, Jerusalém, você, que mata os profetas e apedreja os que lhe são enviados! Quantas vezes eu quis reunir os seus filhos, como a galinha reúne os seus pintinhos debaixo das suas asas, mas vocês não quiseram"? Nesses últimos exemplos se combinam apóstrofe e prosopopeia.

ANTÍTESE

O vocábulo procede da palavra latina *antithesis* que, por sua vez, tem origem em palavras gregas cujo significado é "colocar uma coisa contra a outra". Encontramos na Enciclopédia Brasileira Mérito a seguinte definição de antítese: "Inclusão, na mesma frase, de duas palavras, ou dois pensamentos, que fazem contraste um com o outro". Trata-se de uma figura de retórica muito eficaz e presente em muitas partes das Escrituras. O mau e o falso servem de contraste, ou fundo, fazendo com que sobressaiam o bom e o verdadeiro.

O discurso de despedida de Moisés no livro de Deuteronômio (27—33) consiste em uma série notável de contrastes ou antíteses. Na seguinte passagem, temos o exemplo de um contraste ou antítese dupla: "Vejam que hoje ponho diante de vocês vida e prosperidade, ou morte e destruição" (Dt 30.15). O mesmo no versículo 19: "Hoje invoco os céus e a terra como testemunhas contra vocês, de que coloquei diante de vocês a vida e a morte, a bênção e a maldição (duas antíteses). Agora escolham a vida, para que vocês e os seus filhos vivam".

O Senhor Jesus apresenta no Sermão do Monte numerosas antíteses, como a que temos em Mateus 7.13,14: "Entrem pela porta estreita, pois larga é a porta e amplo o caminho que leva à perdição, e são muitos que entram por ela. Como é estreita a porta, e apertado o caminho que leva à vida! São poucos os que a encontram". Jesus estabelece contraste entre a porta estreita e a larga; entre o caminho estreito e o largo; entre os dois destinos, a vida e a destruição; e entre poucos e muitos (uma antítese quádrupla). Ele contrasta a árvore má e seus maus frutos com a árvore boa e seus bons frutos (v. 17,18). Também contrapõe duas pessoas: uma professa a obediência à vontade divina sem praticá-la, enquanto a outra realmente pratica a obediência. Depois, ilustra a diferença mediante uma extraordinária e múltipla antítese da casa edificada sobre a rocha em oposição à casa edificada sobre a areia (Mt 7.24-27).

Nosso Senhor Jesus dá por concluído o seu maravilhoso discurso escatológico (referente às coisas finais, como a morte, o juízo e o estado futuro) nos capítulos 24 e 25 de Mateus, empregando gradação ou clímax caracterizado por antíteses.

Em 2Coríntios 3.6-18, Paulo estabelece um contraste entre o antigo pacto e a nova aliança, entre a letra (a Lei) e o Evangelho, utilizando para isso uma série notável de antíteses que podem ser convenientemente preparadas em colunas paralelas. Em Romanos 6.23, o apóstolo contrasta "morte" com "vida eterna" e o "salário do pecado" com o "dom gratuito de Deus", dizendo: "Pois o salário do pecado é a morte, mas o dom gratuito de Deus é a vida eterna em Cristo Jesus, nosso Senhor".

Depois, em 2Coríntios 6.8-10, Paulo nos proporciona um conjunto de antíteses relacionadas com sua própria experiência e nos versículos 14-16, mediante antíteses escolhidas cuidadosamente, demonstra a loucura do cristão que se acorrenta ao mundo. Em 1Coríntios 15.35-38, ele encerra seu poderoso argumento referente à ressurreição mediante um abundante número de antíteses, semelhante a uma metralhadora em ação.

CLÍMAX OU GRADAÇÃO

A palavra clímax ou gradação procede do termo latino *climax*, e este do grego *klîmaks, akos*, que significa "escala, degrau", no sentido figurado da palavra. A Enciclopédia Brasileira Mérito tem a seguinte definição da palavra gradação: "Concatenação dos elementos de um período de modo a fazer com que cada um comece com a última palavra do anterior; amplificação, apresentação de uma série de ideias em progressão ascendente ou descendente. Também se diz clímax". O fundamental na gradação é que exista avanço ou progresso na oração, parágrafo, tema, livro ou discurso. A maioria dos sermões bem preparados tem mais de uma gradação, e seu encerramento acontece mediante uma gradação final de caráter extraordinário.

A gradação pode consistir em poucas palavras ou mesmo estender-se por todo o discurso ou livro. Pode consistir em palavras soltas, preparadas de tal maneira que vem à mente uma progressão gradual ascendente, ou também em uma série de argumentos que explodem em triunfal culminação, como o argumento incontrovertível da ressurreição em 1Coríntios 15. O grande capítulo da fé, Hebreus 11, é exemplo de um longo e poderoso clímax ou gradação.

Maravilhoso clímax ou gradação, o capítulo da vitória, Romanos 8, começa com os vocábulos "nenhuma condenação" e termina dizendo que "nem alguma outra criatura nos poderá separar do amor de Deus" (aec). Para criar esse poderoso clímax, o apóstolo emprega uma série de gradações. Espírito de servidão, espírito de adoção, filhos de Deus, herdeiros, herdeiros de Deus e co-herdeiros com Cristo, indo do sofrimento à glorificação (Rm 8.15-17). A seguir, temos os degraus dessa escala: 1) estamos expostos ao espírito de servidão e temor; 2) temos sido adotados; 3) ao compreendermos os laços que nos unem a Deus, como crianças sussurramos a palavra *Aba*, que significa Pai, em aramaico; 4) o próprio Espírito dá testemunho da verdade e realidade dessa nova relação; 5) se somos filhos, então somos herdeiros; 6) somos herdeiros de Deus, o mais rico de todos; 7) estamos em pé de igualdade com Jesus, seu Filho, que é herdeiro de todas as coisas (Hb 1.2); e se sofremos com ele, 8) também com ele seremos glorificados.

Em seguida, nos versículos 29 e 30, notamos como o apóstolo ascende passo a passo: conheceu, predestinou, chamou, justificou, glorificou. Depois de ter alcançado tal altura, o apóstolo poderá continuar subindo? Sim, leia os versículos 31-39. Observe a base de nossa completa e absoluta confiança e segurança mediante esta gradação:

1) "Se Deus é por nós, quem será contra nós?"
2) Se nos deu livremente o seu Filho, como nos poderá negar a graça ou bênção de que necessitamos?
3) Quem nos acusará se é Deus quem nos justifica?
4) Quem se atreverá a condenar-nos, quando Cristo morreu para nos salvar?
5) Cristo está agora à destra de Deus como nosso advogado para interceder por nós.
6) Quem nos separará do amor que Cristo tem para conosco? Por acaso nos separará a) a tribulação, b) a angústia, c) a perseguição, d) a fome, e) a nudez, f) o perigo, g) ou a espada?

Depois de alcançar esse plano, o apóstolo se detém suficientemente para poder citar Salmos 44.22, a fim de demonstrar que em época remota o povo escolhido sofrera o martírio por amor de Deus, dando a entender que nós estamos preparados para a mesma prova. Sim, nesses conflitos *fazemos mais que vencer*. O final do capítulo 8 (v. 38,39) eleva-se a alturas que produzem vertigens, chegando logo a uma das gradações mais belas de todo o texto bíblico.

Devemos lembrar também que no caso de Paulo não se tratava de desdobramento oratório, mas da plena confiança e profunda convicção de seu coração. E isso fica demonstrado na própria vida vitoriosa (2Co 11.23-27) e morte do apóstolo (2Tm 4.6-8).

Há também os admiráveis e eloquentes exemplos de clímax ou gradação em Isaías, capítulos 40 e 55, assim como em Efésios 3.14-21 e em Filipenses 2.5-21.

Eis um exemplo do discurso de Cícero dirigido contra Verres: "É um ultraje encarcerar um cidadão romano; açoitá-lo é um crime atroz; dar-lhe morte é quase um parricídio; mas *crucificá-lo*, de que o qualificarei?" (grifo do autor). Essas palavras lançam luz sobre o texto de Atos 22.25-28.

Por fim, vale citar o anticlímax, figura que representa o contrário do clímax ou gradação, sendo com frequência empregado por escritores inexperientes. Consiste em descer do sublime ao ridículo ou colocar ao final do escrito ou discurso as frases de menor importância.

PERGUNTAS

1. Que é símile?
2. Como o símile se distingue da metáfora?
3. Cite alguns exemplos de símiles.
4. Que é interrogação?
5. Toda pergunta é uma figura de retórica? Apresente exemplos.
6. Que é apóstrofe?
7. De que forma se diferencia a apóstrofe da personificação? Dê exemplos de apóstrofe na Bíblia.
8. Que é antítese? Exemplifique.
9. Que é clímax ou gradação? Estabeleça uma diferenciação entre clímax e antítese. Dê exemplos.

16
Figuras de retórica: quarta parte

Por P. C. Nelson

Em virtude da presença de numerosas e diversas figuras de retórica nas Escrituras, bem como do fato de que o conhecimento das figuras empregadas contribui para o entendimento das passagens mais obscuras e difíceis, acrescentamos a este estudo algumas figuras de retórica não consideradas anteriormente.

PROVÉRBIO

O vocábulo "provérbio" procede das palavras latinas *pro* (que significa "antes") e *verbum* (palavra). Trata-se de um dito comum ou adágio. Além disso, o termo tem sido definido como uma afirmação extraordinária e paradoxal. Os provérbios do Antigo Testamento estão redigidos em sua maior parte na forma poética, consistente em dois paralelismos, formando em geral uma antítese ou uma síntese. O livro de Provérbios contém grande variedade de provérbios, adivinhações, enigmas e ditos obscuros. Nesse último sentido da palavra, o provérbio é usado por duas vezes consecutivas em João 16.25,29. A mesma palavra grega vemos em João 10.6, embora aí tenha sido traduzida como parábola. Na verdade, alguns provérbios são parábolas abreviadas ou condensadas; outros, metáforas; outros ainda, símiles; e há os que se têm estendido até formar alegorias.

Em sua obra *Introdução ao livro dos Provérbios*, escrito em hebraico, o dr. T. J. Conant faz o seguinte comentário:

> A sabedoria ética e prática mais remota da maioria dos povos da Antiguidade se expressava em ditos agudos, breves, expressivos e enérgicos. Reuniam, em poucas palavras, o resultado da experiência comum ou das considerações e observações individuais. Pensadores e observadores agudos, acostumados a generalizar os acontecimentos experimentais e arrazoar com base em princípios básicos, expressavam o resultado de suas investigações mediante apotegmas, ou seja, ditos breves e sentenciosos, os quais comunicavam alguma instrução ou pensamento engenhoso, alguma verdade de caráter moral ou religioso, alguma

máxima referente à prudência ou à conduta ou às regras práticas da vida. Tudo isso era manifestado mediante termos destinados a despertar atenção ou estimular o espírito de investigação ou as faculdades do pensamento, e numa forma que se fixava com caracteres indeléveis na memória. Converteram-se, assim, em elementos integrantes da forma popular de pensar, tão inseparáveis dos hábitos mentais do povo como o próprio poder de percepção.

Nas próprias Escrituras, o propósito dos provérbios é visto assim: "Eles ajudarão a experimentar a sabedoria e a disciplina; a compreender as palavras que dão entendimento; a viver com disciplina e sensatez, fazendo o que é justo, direito e correto; ajudarão a dar prudência aos inexperientes e conhecimento e bom senso aos jovens. Se o sábio lhes der ouvidos, aumentará seu conhecimento, e quem tem discernimento obterá orientação para compreender provérbios e parábolas, ditados e enigmas dos sábios" (Pv 1.2-6).

"Médico, cura-te a ti mesmo!" (Lc 4.23) — este deve ter sido um dito comum em Nazaré. A princípio, aplicava-se a médicos atacados de enfermidades físicas, os quais curavam essas mesmas enfermidades nas outras pessoas. Jesus compreendeu que seus antigos conhecidos da cidade de Nazaré, motivados pela incredulidade, empregariam essas palavras contra ele, se não realizasse em Nazaré milagres tão maravilhosos como os que havia feito em Cafarnaum. O Senhor respondeu aos pensamentos deles, que ainda não se haviam transformado em palavras, com outro provérbio, que constitui uma defesa própria: "Nenhum profeta é aceito em sua terra" (v. 24). Esta parece ser a interpretação condensada do provérbio que diz: "Só em sua própria terra, entre seus parentes e em sua própria casa, é que um profeta não tem honra" (Mc 6.4; v. Mt 13.57). Jesus demonstra a verdade de sua declaração ao referir-se à história de Elias (1Rs 17 e 18) e de Eliseu (2Rs 5.1-14).

Contra os mestres apóstatas e reincidentes que naquela época semeavam a ruína, o apóstolo Pedro emprega com grande propriedade dois fatos que todos deviam ter observado, condensados em um provérbio: "O cão volta ao seu vômito. [...] A porca lavada volta a revolver-se na lama" (2Pe 2.22). A interpretação é evidente, e não é difícil encontrar exemplos para ilustrar tal verdade, mesmo em nossos dias.[a]

[a] Considere a primeira parte desse duplo provérbio que se aplica ao tolo e sua necessidade: "Como o cão volta ao seu vômito, assim o insensato repete a sua insensatez" (Pv 26.11).

É necessário levar em consideração as seguintes advertências:

- Deve-se ter muito cuidado na interpretação de provérbios, sobretudo os que não são fáceis de entender e interpretar; é provável que eles estejam baseados em fatos e costumes que se perderam para nós.
- Já que os provérbios podem ser símiles, metáforas, parábolas ou alegorias, é útil determinar a que classe pertence o provérbio a ser interpretado. Figuras diferentes em combinação podem formar um provérbio. Por exemplo, em Provérbios 1.20-33, a sabedoria é personificada, e o provérbio se apresenta na forma de uma parábola com sua aplicação. (Leia também Eclesiastes 9.13-18.)
- Estude o contexto, ou seja, os versículos que antecedem e sucedem ao texto, os quais são, com frequência, as chaves para uma melhor interpretação, como acontece nos casos acima mencionados.
- Quando todas as tentativas de interpretação e entendimento do significado tiverem fracassado, o melhor é ficar na expectativa até que se receba mais luz sobre o assunto.

- Não empregue textos, provérbios ou outras passagens bíblicas como prova sem que possa determinar seu significado, ainda que favoreçam a doutrina que você defende.
- Aproveite a ajuda que proporcionam os comentaristas, versados no estudo das Sagradas Escrituras. Esses eruditos conhecem os idiomas originais, e o estudo deles pode levá-lo a uma melhor conclusão.
- Acima de tudo, ore pedindo a ajuda do Espírito Santo.

ACRÓSTICO

A palavra "acróstico" procede dos vocábulos gregos que significam extremidade ou verso. Temos no Antigo Testamento vários exemplos de acrósticos, sendo o mais notável o salmo 119, com seus 176 versos. Contém 22 estrofes, e cada uma delas corresponde a uma letra do alfabeto hebraico. Há oito linhas duplas em cada estrofe. Cada uma das oito linhas na primeira estrofe começa com uma palavra iniciada por *Álef*, a primeira letra do alfabeto hebraico. A primeira palavra de cada uma das oito linhas duplas na segunda estrofe começa com *Bêt*, a segunda letra desse alfabeto, e assim sucessivamente, até o final. Canta-se em louvor à Palavra de Deus e de seu Autor. É impossível trasladar essa característica singular do original para a língua portuguesa, mas a Nova Versão Internacional (NVI) indica o acróstico, colocando em ordem as letras hebraicas e seus respectivos nomes no começo das estrofes ou seções.

Essa forma de distribuição do texto no hebraico constitui verdadeira ajuda para a memória. Já que os salmos eram escritos para serem cantados sem livros, e uma vez que isso se aprendia e se recitava de memória na escola, tal disposição alfabética constituía importante ajuda para aprender o salmo 119, o capítulo mais longo da Bíblia.

Os salmos 25 e 34 têm cada um deles 22 versículos em português, bem como o mesmo número de estrofes em hebraico: uma para cada letra do alfabeto, todas em ordem. Nos salmos 111 e 112, cada um dos versículos e estrofes se divide em duas partes, seguindo a ordem alfabética.

Os últimos 22 versículos do capítulo final de Provérbios começam com uma letra do alfabeto hebraico, seguindo sua ordem. A maior parte das Lamentações de Jeremias está escrita em acrósticos, e alguns capítulos repetem cada uma das letras, uma ou mais vezes. A seguir, temos um modelo de acróstico, em tradução livre:

> **J**esus, que na cruz seu sangue deu,
> **E** a dor e o desdém por mim sofreu.
> **S**entenciado foi pela turba cruel,
> **U**ltrajado bebeu o amargo fel,
> **S**ocorre-me e faz-me sempre fiel.

Os primeiros cristãos da Igreja, como evidenciam as catacumbas na cidade de Roma, empregavam normalmente acrósticos nos epitáfios. O desenho de um peixe era um dos símbolos favoritos e secretos de sua fé imutável sob o fogo da perseguição. A palavra grega equivalente a peixe era *ichthus*. O alfabeto grego consta de caracteres que nós representamos mediante duas letras. Assim, *th* e *ch* representam letras simples no alfabeto grego. Ao considerar tal fato, o peixe simbólico era lido da seguinte maneira:

I	**I**esous	Jesus
Ch	**Ch**ristos	Cristo
Th	**Th**eou	de Deus
U	**U**ios	Filho
S	**S**oter	Salvador

PARADOXO

Entende-se por paradoxo uma proposição ou declaração oposta à opinião comum; uma afirmação contrária a todas as aparências e à primeira vista absurda, impossível, ou em contraposição ao sentido comum, mas que se torna correta e bem fundamentada se estudada detidamente, ou meditando-se nela. A palavra procede do grego e chega a nós por intermédio do latim. É formada por dois vocábulos: *para* (que significa contra) e *doxa* (opinião, crença). Soa ao ouvido como algo incrível, ou impossível, até absurdo. O Salvador empregou com frequência essa figura entre os seus ouvintes, com o objetivo de sacudi-los de sua letargia e neles despertar o interesse. Acompanhe os seguintes exemplos:

"Estejam atentos e tenham cuidado com o fermento dos fariseus e dos saduceus" (Mt 16.6; Mc 8.14-21; Lc 12.1) — os discípulos pensaram que o Senhor falava do fermento do pão, porque se haviam esquecido de levar pão consigo. Jesus lhes censurou a falta de compreensão até que, finalmente, entenderam que o Senhor se referia às más doutrinas e à hipocrisia dos fariseus e saduceus (Mt 6.12).

"Siga-me, e deixe que os mortos sepultem os seus próprios mortos" (Mt 8.22; Lc 9.60) — essa foi a extraordinária resposta que nosso Senhor Jesus deu a um dos candidatos ao discipulado, que não compreendia o que significava seguir ao Senhor, quando propunha primeiro sepultar seu pai. Aqueles que estão mortos no sentido espiritual da palavra podem assistir aos funerais dos que faleceram no aspecto físico. Já outro desejava seguir ao Senhor Jesus, mas queria primeiro se despedir da família. Nosso Senhor compreendeu que a consagração tinha algum defeito, igual ao primeiro caso citado e, portanto, replicou por meio da parábola: "Ninguém que põe a mão no arado e olha para trás é apto para o Reino de Deus" (Lc 9.62). Desse modo, o Senhor Jesus fez com que as pessoas compreendessem a importância de ser seu discípulo e pregar o evangelho.

" 'Quem é minha mãe, e quem são meus irmãos?', perguntou ele. E, estendendo a mão para os discípulos, disse: 'Aqui estão minha mãe e meus irmãos! Pois quem faz a vontade de meu Pai que está nos céus, este é meu irmão, minha irmã e minha mãe' " (Mt 12.48-50; Mc 3.31-35; Lc 8.19-21) — mediante esse notável procedimento, nosso Senhor inculcou a doutrina da relação espiritual mais elevada.

"Se alguém vem a mim e ama o seu pai, sua mãe, sua mulher, seus filhos, seus irmãos e irmãs, e até sua própria vida mais do que a mim, não pode ser meu discípulo" (Lc 14.26) — esse paradoxo constitui um hebraísmo. Se tal declaração fosse tomada literalmente, constituiria uma completa contradição com outras partes das Escrituras que nos ensinam o dever de amar a nossos familiares (Ef 5.28,29 e outras).

"Pois quem quiser salvar a sua vida, a perderá; mas quem perder a sua vida por minha causa e pelo evangelho, a salvará" (Mc 8.35; Mt 16.25; Lc 9.24) — mediante esse impressionante paradoxo, o Senhor faz com que seus seguidores compreendam o valor da alma e a perda terrível que experimentam aqueles que morrem sem esperança. Ao mesmo tempo, o Mestre ensina que a melhor maneira de empregar a vida é servindo a Deus. As páginas da história missionária estão cheias de exemplos que ilustram o grande princípio enunciado pelo Senhor Jesus nesse paradoxo. Em outro paradoxo (Mc 9.43-48), o Senhor demonstra que é melhor sofrer a perda de um dos membros de nosso corpo do que nos render à tentação e ficar perdidos para sempre.

"Vocês coam um mosquito e engolem um camelo" (Mt 23.24) — a peça mais notável de repriменda da literatura é a lançada pelo Senhor contra os escribas e fariseus hipócritas do seu tempo.

Consiste em uma série de oito amargos presságios pronunciados contra eles, pouco antes de sua morte (Mt 23.13-33). O Senhor Jesus os chama, no mesmo versículo, de "guias cegos" que cuidadosamente coam o mosquito, mas engolem o camelo. Faziam diferenças sutis quanto à interpretação das leis, sendo meticulosos para dar dízimos da hortelã, do endro e do cominho que cresciam em suas hortas, contudo omitiam os preceitos mais importantes da lei: "a justiça, a misericórdia e a fidelidade" (v. 23).

"E lhes digo ainda: É mais fácil passar um camelo pelo fundo de uma agulha do que um rico entrar no Reino de Deus" (Mt 19.24; Mc 10.25; Lc 18.25) — esse paradoxo maravilhou os discípulos, levando-os a perguntar: "Quem pode ser salvo?". O contexto nos proporcionará ajuda. O Senhor Jesus acabava de encerrar sua entrevista com o jovem rico que, triste, se afastou em seguida. Nessas circunstâncias, o Senhor Jesus fez o seguinte comentário a seus discípulos: "Dificilmente um rico entrará no reino dos céus". O diálogo se realizava em aramaico, língua que o povo comum da Palestina empregara séculos antes e depois do nascimento de Cristo. Muitos comentaristas eminentes afirmam que os evangelhos foram no princípio escritos em aramaico e daí traduzidos para o grego.

O dr. Jorge M. Lamsa explica que a palavra aramaica *gamla* pode significar uma corda grossa, um camelo ou uma viga, o que o leva a afirmar que a palavra camelo é uma tradução errada, primeiro do aramaico para o grego e, mais tarde, para outras línguas como o português. O dr. Lamsa acrescenta sua opinião sobre o que o Senhor Jesus quis dizer: "Mas eu vos digo que trabalho mais leve é passar uma corda grossa pelo fundo de uma agulha que entrar um rico no reino dos céus". Essas palavras soam mais razoáveis que a costumeira explicação, segundo a qual, depois que as portas da cidade se fechavam, o camelo poderia passar por uma abertura muito menor na muralha, porém tinha que deixar sua carga e depois ajoelhar-se. Trata-se de bela ilustração do que deve fazer o jovem rico, mas surge a pergunta se isso realmente é o que o Senhor queria dizer ou não. A Bíblia indica em Mateus 19.26 o que Jesus quis dizer, ou seja, que se tratava de uma impossibilidade humana.

Pouco antes, o Senhor dissera: "Eu lhes asseguro que, a não ser que vocês se convertam e se tornem como crianças, jamais entrarão no Reino dos céus" (Mt 18.3). Trata-se aqui de outro paradoxo, parecido com o anterior. Ambos os ditos são contrários à opinião comum e, por tal razão, denominam-se paradoxos. A crença geral era que os ricos e os que ocupavam posições elevadas estavam mais seguros acerca do céu. Quanto às riquezas, o dr. H. A. W. Meyer faz o seguinte comentário: "O perigo de não alcançar a salvação por causa das riquezas não reside nestas, consideradas em si mesmas, mas na dificuldade do homem pecador de colocar essas riquezas à disposição de Deus" (v. 1Co 1.26).

Os exemplos ora mencionados foram tomados das palavras de Jesus. Outros muitos exemplos podem ser encontrados nas Sagradas Escrituras. Eis um exemplo do apóstolo Paulo, que diz: "Pois, quando sou fraco é que sou forte" (2Co 12.10). Ou seja: débil ou fraco em mim mesmo, mas poderoso ou forte no Senhor e na sua fortaleza, tal como o contexto estabelece com clareza (v. Ef 6.10).

PERGUNTAS

1. Que é provérbio?
2. Que é acróstico?
3. Que é paradoxo?
4. Dê exemplos de cada um deles.

17
Hebraísmos

Entendemos por hebraísmos certas expressões e construções peculiares do idioma hebreu que ocorrem em nossas traduções da Bíblia, escrita originalmente em hebraico e grego. Como já se disse, alguns conhecimentos desses hebraísmos são necessários para poder fazer uso devido de nossa primeira regra de interpretação.

Entre os hebreus era costume chamar uma pessoa de filho fazendo referência àquilo que a caracterizava de modo especial, tanto assim que o pacífico e bem disposto era chamado filho da paz (Lc 10.6, aec); o iluminado e entendido, filho da luz (Ef 5.8); os desobedientes, filhos da desobediência (Ef 2.2, aec).

As comparações, às vezes, eram expressas mediante negações, como, por exemplo, ao dizer Jesus: "Qualquer que me receber, não recebe a mim, mas ao que me enviou" (Mc 9.37, aec), o que equivale à maneira nossa de dizer: o que me recebe não recebe tanto a mim quanto ao que me enviou; ou não somente a mim, mas também ao que me enviou. Devemos interpretar do mesmo modo quando lemos:

"Não procuro agradar (somente) a mim mesmo, mas àquele que me enviou" (Jo 5.30).

"Não trabalhem (só) pela comida que se estraga, mas pela comida que permanece para a vida eterna" (Jo 6.27).

"Você não mentiu (somente) aos homens, mas sim a Deus" (At 5.4).

"Cristo não me enviou (apenas) para batizar, mas (também) para pregar o evangelho" (1Co 1.17).

"A nossa luta não é (somente) contra seres humanos, mas contra os poderes e autoridades, [...] contra as forças espirituais do mal" (Ef 6.12).

Como já dissemos neste estudo, o uso do *amar e aborrecer* (ou amar e rejeitar) era para expressar preferência de uma coisa à outra. Tanto é assim que, por exemplo, ao lermos: "Amei a Jacó, e aborreci a Esaú" (Rm 9.13, aec), devemos compreender: preferi Jacó a Esaú. (V. tb. Dt 21.15; Jo 12.25; Lc 14.26; Mt 10.37.)

Os hebreus, apesar de se referirem tão somente a uma pessoa ou coisa, às vezes mencionavam diversas pessoas a fim de indicar desse modo sua existência e relação com a pessoa ou coisa a que se referiam.

Por exemplo, em Gênesis 8.4, "A arca pousou nas montanhas de Ararate" equivale a dizer que a arca pousou sobre *uma* das montanhas de Ararate. Do mesmo modo, ao lermos em Mateus 24.1: "... seus discípulos aproximaram-se dele para lhe mostrar as construções do templo", sabemos que *um deles* (como intérprete do sentimento dos demais) lhe mostrou os edifícios do templo.

Quando lemos em Mateus 26.8 (aec): "Os discípulos se indignaram, dizendo: Para que este desperdício?" (referindo-se à perda de precioso bálsamo), sabemos por intermédio de João que foi um deles, isto é, Judas, que, sem dúvida, expressando o pensamento dos demais, afirmou: "Para que este desperdício?". Do mesmo modo, quando Lucas diz que os soldados se aproximaram de Jesus na cruz oferecendo-lhe vinagre (Lc 23.36), sabemos por Mateus que foi um deles que realizou o ato (Mt 27.48).

Com frequência, os hebreus usavam o nome dos pais para indicar seus descendentes como, por exemplo, em Gênesis 9.25: "Maldito seja Canaã", em lugar de "descendentes de Canaã", com exceção, é claro, dos justos entre seus descendentes. Muitas vezes, usa-se também o nome de Jacó ou Israel para designar os israelitas, isto é, os descendentes de Israel (v. Gn 49.7; Sl 14.7; 1Rs 18.17,18).

A palavra "filho", como em quase todos os idiomas, é usada para designar um descendente mais ou menos remoto. Tanto é assim que, por exemplo, os sacerdotes são chamados de filhos de Levi. Já Mefibosete é chamado filho de Saul, embora de fato fosse seu neto. Do mesmo modo, Zacarias é chamado filho de Ido, sendo seu pai Berequias, filho de Ido. E assim como se usa "filho" para designar um descendente qualquer, do mesmo modo a palavra "pai" é usada às vezes para indicar um ascendente qualquer. Outras vezes, "irmão" também é usado quando se trata somente de um parentesco mais ou menos próximo; desse modo, por exemplo, Ló é chamado irmão de Abraão, embora fosse, na verdade, seu sobrinho (Gn 14.12-16).

Levando em consideração tais hebraísmos, contradições aparentes desaparecem. Por exemplo, em 2Reis 8.26 (aec), Atalia é chamada "filha de Onri", enquanto no versículo 18 é citada como "filha de Acabe", sendo na verdade filha de Acabe e neta de Onri.

Além dos hebraísmos já citados, a linguagem bíblica apresenta outras singularidades, entre as quais estão os *quase-hebraísmos*, que precisamos conhecer para a correta compreensão de muitos textos. Estamos nos referindo ao uso particular de determinados números, a algumas palavras que expressam fatos realizados ou supostos e a vários nomes próprios.

Algumas vezes, certos números específicos são usados no hebraico para expressar quantidades indeterminadas. Por exemplo, o número "dez" pode significar "vários" (v. Gn 31.7; Dn 1.20).

Também o número "quarenta" pode ter o significado de "muitos". Um exemplo é Persépolis, chamada "a cidade das quarenta torres", embora tivesse muito mais que isso. Essa é provavelmente a linha de interpretação em 2Reis 8.9, em que sabemos que Hazael levou consigo um presente carregado por quarenta camelos, com bens de Damasco, a Eliseu. Talvez esse também seja o significado do que lemos em Ezequiel 29.11-13.

"Sete" e "setenta" são usados para expressar um número grande e completo, ainda que indeterminado. (Veja, por exemplo, Pv 26.16,25, aec; Sl 119.164; e Lv 26.24.) A ordem de perdoar até setenta vezes sete é para que compreendamos que, se o irmão se arrepende, devemos sempre conceder-lhe o perdão (v. Mt 18.22). É provável que os sete demônios expulsos de Maria Madalena indiquem seu extremado sofrimento e ao mesmo tempo a grande maldade deles (Mc 16.9).

Outras vezes são usados nas Escrituras números exatos para expressar quantidades inexatas. Por exemplo, em Juízes 11.26 vemos a indicação do número redondo "300" no lugar de 293. (V. tb. Jz 20.35,46.)

Também ocorre o uso peculiar de palavras que expressam ação, em que às vezes se diz que uma pessoa faz determinada coisa quando somente a declara feita, quando profetiza que se fará, supõe que se fará ou a considera feita; outras vezes, manda-se também fazer uma coisa quando apenas se permite que se faça. Por exemplo, em Levítico 13.13, quando originalmente se diz que o sacerdote limpa o leproso, isso quer dizer apenas que ele o declara limpo. Em 2Coríntios 3.6, lemos: "... a letra (quer dizer, a lei) mata", quando na realidade se está declarando apenas que o transgressor deve morrer.

Em João 4.1 lê-se que Jesus batizava mais discípulos do que João, quando sabemos que ele apenas ordenava que eles fossem batizados, pois em seguida lemos: "... embora não fosse Jesus quem batizasse, mas os seus discípulos" (v. 2). Também lemos, em Atos 1.16-19 (aec), que Judas "adquiriu um campo com a recompensa da iniquidade", embora isso só fosse procedente dele, já que entregara aos sacerdotes o dinheiro com que estes compraram o referido campo, o que fica evidente em Mateus 27.4-10.

Desse modo também compreendemos em que sentido consta que "o Senhor endureceu o coração do faraó" (Êx 9.12), ao mesmo tempo que lemos que o próprio faraó endureceu seu coração (Êx 8.15).

Ou seja: Deus foi causa do endurecimento do coração do faraó, oferecendo-lhe misericórdia com a condição de ser obediente, porém ele resistiu à bondade oferecida por Deus. (V. tb. Rm 9.17,18.)

Quando o Senhor disse ao profeta Jeremias (1.10): "Eu hoje dou a você autoridade [...] para arrancar, despedaçar, arruinar e destruir", Deus não o encarregou de executar tais coisas, mas o chamou para profetizá-las ou proclamá-las. Nesse sentido, Isaías também ouviu de Deus: "Torne insensível o coração deste povo; torne surdos os seus ouvidos e feche os seus olhos" (Is 6.10).

Como prova de que o idioma hebraico expressa em forma de mandamento positivo algo que não implica mais do que simples permissão (nem sequer consentimento) para fazer algo, leia o que Deus diz em Ezequiel 20.39: "Vão prestar culto a seus ídolos, cada um de vocês!"; linhas adiante, compreende-se que o Senhor não aprovava tal conduta. O mesmo ocorre no caso em que Deus diz a Balaão: "Visto que esses homens [conselheiros do malvado Balaque] vieram chamá-lo, vá com eles, mas faça apenas o que eu lhe disser" (Nm 22.20); aqui o contexto nos diz que aquilo não era mais do que uma simples permissão de ir e fazer um mal que Deus absolutamente não queria que o profeta fizesse. Acontece algo semelhante nestas palavras que Jesus diz a Judas: "O que você está para fazer, faça depressa" (Jo 13.27).

Na tarefa de interpretar as palavras das Escrituras, é preciso também levar em consideração uma característica muito peculiar no uso dos nomes próprios: às vezes, designam-se pessoas diferentes com um mesmo nome, lugares diferentes com um mesmo nome e uma mesma pessoa com nomes diferentes.

Pessoas diferentes designadas com um mesmo nome — a palavra "faraó", que significa regente, era o nome comum de todos os reis do Egito, desde o tempo de Abraão até a invasão dos persas, sendo mais tarde o nome de faraó alterado para Ptolomeu. Já Abimeleque, que significa "meu pai e rei", parece ter sido o nome comum dos reis dos filisteus. Da mesma maneira, temos Agague, dos amalequitas; Ben-Hadade, dos sírios; e César, dos imperadores romanos.

César Augusto, que governava quando do nascimento de Jesus (Lc 2.1), era o segundo que levava esse nome. O César que reinava quando Jesus foi crucificado era Tibério. O imperador para quem Paulo apelou, o qual tanto era chamado de Augusto quanto de César, era Nero (At 25.21). Os reis egípcios e filisteus parecem ter tido um nome próprio, além do comum, como os romanos. Assim, encontramos, por exemplo, o registro do faraó Neco, do faraó Ofra e de Abimeleque Aquis (1Sm 21.11). (V. a epígrafe do salmo 34.)

No Novo Testamento, acham-se diferentes pessoas com o nome de Herodes. Chamado na história secular de Herodes, o Grande, foi ele quem, sendo já velho, matou as crianças em Belém. Uma vez morto esse monarca, a metade de seu reino, Judeia e Samaria inclusive, foi dada a seu filho Arquelau (Mt 2.22), enquanto a maior parte da Galileia foi destinada a seu filho Herodes, o Tetrarca, o rei citado em Lucas 3.1; já outras partes da Síria e Galileia ficaram com seu terceiro filho, Filipe Herodes. Foi Herodes, o Tetrarca, quem decapitou João Batista (Mt 14.9,10).

Também outro rei Herodes, o neto do cruel Herodes, o Grande, mandou matar o apóstolo Tiago (At 12.1,2) e, em seguida, morreu abandonado em Cesareia. Foi diante de Herodes Agripa, filho do assassino de Tiago, que Festo fez Paulo comparecer (At 25.22,23). O caráter desse rei era muito diferente do de seu pai, e é importante não confundi-los para a correta compreensão da História.

Lugares diferentes designados com um mesmo nome — um exemplo são as duas cidades com o nome de

Cesareia: na Galileia, a Cesareia de Filipe; e na costa do Mediterrâneo, a Cesareia conhecida por ser um porto marítimo e ponto de partida para os viajantes que saíam da Judeia em direção a Roma, sendo citada constantemente no livro de Atos. Igualmente são mencionadas duas Antioquias: a da Síria, onde Paulo e Barnabé iniciaram a obra missionária e onde os discípulos, pela primeira vez, foram chamados de cristãos; e a da Pisídia, cuja referência achamos em Atos 13.14 e em 2Timóteo 3.11.

Da mesma maneira, existem vários lugares chamados de Mispá no Antigo Testamento, como o de Galeede, de Moabe, de Gibeá e o de Judá (Gn 31.47-49; 1Sm 22.3; 7.11; Js 15.38).

Um mesmo nome que designa tanto uma pessoa quanto um lugar — por exemplo, Magogue representa o nome de um filho de Jafé, bem como o de um país ocupado por um povo chamado Gogue (Ez 38.3; Ap 20.8), provavelmente os antigos citas, conhecidos hoje por tártaros, dos quais descendem os turcos.

Uma mesma pessoa e um mesmo lugar designados com nomes diferentes — Horebe e Sinai são nomes de diferentes picos de uma mesma montanha, contudo às vezes um ou outro deles designa a montanha inteira. Antigamente, o lago de Genesaré (Lc 5.1) se chamava mar de Quinerete, depois passou a se chamar mar da Galileia (Mt 4.18) ou mar de Tiberíades (Jo 21.1).

A atual Abissínia se chama Etiópia e Cuxe, às vezes designando este último nome, por certo, a Arábia ou a Índia. A Grécia tanto é Javã quanto propriamente Grécia (Is 66.19; Zc 9.13; Dn 8.21); Egito às vezes se chama Cam (Sl 78.51), e outras, Raabe (Is 51.9, aec).

Algumas vezes, o mar Morto recebe o nome de mar da planície (2Rs 14.25, aec) por ocupar a planície onde estavam as cidades de Sodoma e Gomorra; mar do Leste (Zc 14.8), em razão de sua posição para o oriente (leste), contando desde Jerusalém; e ainda mar Salgado (Gn 14.3; Js 12.3).

O Nilo chama-se Sibor, porém com mais frequência o Rio, nomes estes que também designam às vezes outros rios (Na 3.8). O Mediterrâneo tem o nome de mar dos filisteus (Êx 23.31), povo que vivia em seu litoral; outras vezes, mar Ocidental (Dt 11.24) e com mais frequência, mar Grande (Nm 34.6,7). Já a Terra Santa é chamada de Canaã, terra de Israel, terra da Judeia, Palestina, terra dos Pastores e Terra Prometida (Êx 15.15; 1Sm 13.19; Hb 11.9).

Por fim, Levi, citado em Marcos 2.14, e Mateus são nomes do mesmo discípulo "sentado na coletoria".

Tomé e Dídimo são nomes que se referem ao mesmo discípulo que ficou conhecido por seu encontro com o Cristo ressuscitado. Tadeu, Lebeu e Judas são os diferentes nomes do apóstolo Judas, não o Iscariotes. E Natanael e Bartolomeu são também os nomes do mesmo discípulo elogiado por Jesus.

Em resumo, um cuidadoso conhecimento do uso peculiar dos nomes próprios no estudo da Bíblia não apenas favorece a correta compreensão das Escrituras, mas também é capaz de eliminar várias contradições presentes em diferentes passagens bíblicas.

PERGUNTAS

1. O que se entende por hebraísmo?
2. Que são os "quase-hebraísmos"?
3. Como algumas vezes são usados os números, as palavras que expressam ação, os nomes de pessoas e lugares?

Dedique bastante tempo a esta lição, até se familiarizar com todos os detalhes.

18
Palavras simbólicas

A linguagem simbólica oferece muita dificuldade para o estudo das Sagradas Escrituras. Contudo, mesmo que limitados à explicação das palavras simbólicas, acreditamos no proveito de fazer uma recapitulação e de nos familiarizar com as seguintes expressões:

Abelha, símbolo dos reis da Assíria (Is 7.18), que em seus escritos (hieróglifos) também são representados por essa figura, às vezes simboliza de modo geral um poder invasor e cruel (Dt 1.44; Sl 118.12).

Adultério, infidelidade, infração do pacto estabelecido e consequente símbolo da idolatria, especialmente no meio do povo que tem conhecido a verdade (Jr 3.8,9; Ez 23.37; Ap 2.22).

Águia, poder, visão penetrante, movimento no sentido mais elevado (Dt 32.11,12).

Alfarroba, palha, nulidade, juízo do mal.

Âncora, esperança (Hb 6.19).

Arca, Cristo (1Pe 3.20,21; Hb 11.7).

Arco, símbolo de batalha e de vitória (Ap 6.2); às vezes, também de engano, visto que se pode quebrar ou atirar com defeito (Os 7.16; Jr 9.3).

Árvores, as altas, símbolo de governantes (Ez 31.5-9); as baixas, símbolo do povo comum (Ap 7.1; 8.7).

Azeite, fortaleza pela unção, daí a vida e força que o Espírito de Deus infunde (Tg 5.14).

Azul, o celeste, o céu (Et 8.15).

Babilônia, símbolo de um poder idólatra que persegue as igrejas de Cristo, referindo-se de modo particular ao poder romano, pagão e papal (Is 47.12; Ap 17.13; 18.24).

Balança, símbolo de tratamento íntegro e justo (Jó 31.6); tratando-se da compra de víveres (alimentos), simboliza a escassez (Lv 26.26; Ez 4.16; Ap 6.5).

Berilo, prosperidade, magnificência (Ez 1.16; 28.13).

Besta, símbolo de um poder tirano e usurpador, porém, às vezes, apenas de um poder temporal qualquer (Dn 7.3,17; Ez 34.28).

Bode (macho caprino), símbolo dos reis macedônios, especialmente de Alexandre (Dn 8.5-7).

Bodes, símbolo dos maus em geral (Mt 25.33).

Boi, submissão (Pv 7.22).

Bosque, símbolo de cidade ou reino, representando suas árvores altas, os regentes ou governantes (Is 10.17-34; 32.19; Jr 21.14; Ez 20.46).

Braço, símbolo de força e poder; braço nu e estendido significa o poder em exercício (Sl 10.15; Is 52.10; Sl 98.1; Êx 6.6).

Cadeia (corrente), escravidão (Mc 5.4, aec).

Calcedônia, pureza (Ap 21.19).

Cálice, símbolo de luxúria provocante (Ap 17.1), de ritos idólatras (1Co 10.21) e também da porção que cabe a alguém (Ap 14.10; 19.6).

Caniço (*cana*), fragilidade humana (Mt 12.20).

Cão, símbolo de impureza e apostasia (Pv 26.11, 17; Fl 3.2; Ap 22.15); também de vigilância (Is 56.10).

Carneiro, símbolo dos reis em geral e, especialmente, do rei persa (Dn 8.3-7, 20).

Carro, símbolo de governo ou proteção (2Rs 2.12). Acredita-se que Isaías 21.7 se refere às autoridades Ciro e Dario, enquanto Zacarias 6.1, a quatro grandes monarquias, e "os carros de Deus" em Salmos 68.17 e Isaías 66.15 designariam as hostes do céu.

Casamento, símbolo de união e fidelidade no pacto ou aliança com Deus e, por consequência, representação da perfeição (Is 54.1-6; Ap 19.7; Ef 5.23-32).

Cavalo, símbolo de equipamento de guerra e de conquista (Zc 10.3); símbolo também da rapidez (Jl 2.4). Ir a cavalo ou "cavalgar sobre as alturas" designa domínio (Dt 32.13; Is 58.14, aec).

Cedro, força, perpetuidade (Sl 104.16).

Cegueira, incredulidade (Rm 11.25).

Céu e terra, expressão que aparece com triplo sentido: a) invisível e moral; b) visível e literal; c) político. Usando-se em sentido político, *céu* simboliza os regentes, *terra* representa o povo, os dois juntos formando um reino ou estado (Is 51.15,16; 65.17; Jr 14.23,24; Mt 24.29). Cair do céu é perder a dignidade ou autoridade; céu aberto indica nova ordem no mundo político; uma porta aberta no céu indica o princípio de novo governo (Ap 4.1). O sol, a lua e as estrelas simbolizam as autoridades superiores e secundárias (Is 24.21,23; Jl 2.10; Ap 12.1).

Chave, símbolo de autoridade, do direito de abrir e fechar (Is 22.22; Ap 1.18; 3.7; 20.1).

Chifre (*corno*), símbolo de poder (Dt 33.17; 1Rs 22.11; Mq 4.13); símbolo também de dignidade real (Dn 8.9; Ap 13.1). Os chifres do altar constituíam um refúgio seguro (Êx 27.2).

Chuva, influência divina (Tg 5.7).

Cinto (*cinturão*), apertado, pronto para o serviço; e frouxo, repouso (Jr 13.11).

Cinzas, tristeza, arrependimento (Jó 42.6; Dn 9.3).

Cobre (*metal, bronze*), símbolo de endurecimento (Is 48.4; Jr 6.28); também de força e firmeza (Sl 107.16).

Comer, símbolo da meditação e participação da verdade (Is 55.1,2); também dos resultados de conduta observada no passado (Ez 18.2); símbolo ainda da destruição da felicidade ou propriedade de alguma pessoa (Ap 17.16; Sl 27.2).

Cores, preto, símbolo de angústia e aflição (Jó 30.30; Ap 6.5-12); amarelo, símbolo de enfermidade mortal (Ap 6.8); vermelho, de derramamento de sangue ou de vitória (Zc 6.2; Ap 12.3), ou até do que não se pode apagar (Is 1.18); branco, de beleza e santidade (Ec 9.8; Ap 3.4); o branco resplandecente era a cor real e sacerdotal entre os judeus, como a púrpura entre os romanos.

Coroa (*diadema*), símbolo de autoridade conferida (Lv 8.9); também de autoridade imperial e de vitória (Ap 19.12).

Crisólito, glória manifesta (Ap 21.20).

Crisópraso, paz que sobrepuja todo entendimento (Ap 21.20).

Crocodilo ou *dragão* (*serpente*), símbolo do Egito e, em geral, de todo poder anticristão (Is 27.1; 51.9; Ez 29.3; Ap 12.3; 13.1).

Cruz, sacrifício (Cl 2.14).

Dez, número que simboliza a plenitude ou o completo (Mt 18.24, aec).

Egito, símbolo de um poder orgulhoso e perseguidor, como Roma (Ap 11.8).

Embriaguez, símbolos da loucura do pecado (Jr 51.7); e da estupidez produzida pelos juízos divinos (Is 29.9).

Enxofre, símbolo de tormentos (Jó 18.15; Sl 11.6; Ap 14.10; 20.10).

Escarlate, sendo cor de sangue, a vida (Is 1.18).

Esmeralda, símbolo de esperança.

Espinhos, *abrolhos* e *roseiras-bravas*, más influências (Is 32.13).

Ferro, severidade (Ap 2.27).

Filha, povoação, como se esta fosse mãe.

Fogo, símbolo da Palavra de Deus (Jr 23.29; Sl 39.3); símbolo também de destruição (Is 42.25; Zc 13.9); de purificação (Ml 3.2); de perseguição (1Pe 1.7); de castigo e sofrimento (Mc 9.44).

Fronte (*cabeça, face, testa*), símbolo que indica, segundo a inscrição ou sinal que leva, um sacerdote (Êx 28.38), um servo ou um soldado (Ap 22.4). Os servidores dos ídolos levavam, do mesmo modo que hoje, um sinal, um nome ou um número em sua testa (Ap 13.16).

Fruto, manifestações das atividades da vida (Mt 7.16).

Harpa, símbolo de gozo e de louvor (Sl 33.2; 49.4; 2Cr 20.28; Is 30.32; Ap 14.1,2).

Hissopo, purificação (Sl 51.7).

Incenso, símbolo de oração; queimava-se com fogo tomado do altar dos perfumes (Sl 141.2; Ap 8.4; Ml 1.11).

Jacinto e ametista, promessas de glórias futuras (Ap 21.20).

Jaspe, paixão, sofrimento.

Lâmpada (*candelabro*), símbolo de luz, satisfação, verdade e governo (Ap 2.5; Sl 132.17, aec). Em 1Reis 11.36 (aec), a expressão "sempre tenha uma lâmpada" significa que a Davi nunca faltará sucessor.

Leão, símbolo de um poder enérgico e dominador (1Rs 10.19,20; Am 3.8; Dn 7.4; Ap 5.5).

Leopardo (*tigre*), símbolo de um inimigo cruel e falso (Ap 13.2; Dn 7.6; Is 11.6; Jr 5.6; Hc 1.8).

Lepra, pecado asqueroso (Is 1.6).

Lírio, formosura, pureza (Ct 2.1).

Livro, livro do testemunho entregue ao rei, símbolo da inauguração do reino (2Rs 22.10); um livro escrito por dentro e por fora, símbolo de uma longa série de acontecimentos; um livro selado, símbolo de segredos; comer um livro, símbolo de um estudo sério e profundo (Jr 15.16; Ap 10.8,9); o livro da vida (registros), memória em que estão os redimidos (Ed 2.62; Ml 3.16; Ap 3.5); um livro aberto, símbolo do princípio de um juízo (Ap 20.12).

Luz, conhecimento, prazer (Jo 12.35).

Mãe, símbolo de quem produz ou gera algo (Ap 17.5), como, por exemplo, o produtor de uma cidade cujos habitantes se chamam seus filhos (2Sm 20.19; Is 49.23); de uma cidade central, cujos povoados-satélites se consideram seus filhos (Is 50.1; Os 2.2,5); símbolo também da Igreja do Novo Testamento (Gl 4.26).

Maná, símbolo de alimento espiritual imortal (Ap 2.17; Êx 16.33,34).

Mãos, símbolo de atividade. Daí "mãos santas" ou "mãos cheias de sangue" indicam feitos puros ou sangrentos, respectivamente (1Tm 2.8; Is 1.15). Lavar as mãos significa expiação de culpa ou protesto de ausência de culpa (Mt 27.24; 1Tm 2.8). Mão direita, símbolo de posto de honra (Mc 16.19). Estender a mão direita, símbolo de participação de direitos e bênçãos (Gl 2.9). Mãos cheias equivalem à riqueza (Sl 68.31). Levantar a destra era sinal de juramento (Gn 14.22). Marcas nas mãos, símbolo de servidão e idolatria (Zc 13.6). As mãos postas sobre a cabeça de alguém, símbolo de transmissão de bênção, de autoridade ou de culpa (Gn 48.14-20; Dn 10.10). As mãos de Deus, postas sobre um profeta, indicam influência espiritual (Ez 1.3; 3.22); o dedo indica influência menor; o braço, influência maior.

Medir (*repartir, dividir*), símbolo de conquista e possessão (Is 53.12; Zc 2.2; Am 7.17).

Montanha, símbolo de grandeza e estabilidade (Is 2.2; Dn 2.35).

Morte, separação, separação de Deus, insensibilidade espiritual (Rm 5.6; Mt 8.22; Ap 3.1; Gl 3.3).

Olhos, símbolo de conhecimento, também de glória, de fidelidade (Zc 4.10) e de governo (Nm 10.31). O olho maligno significa inveja; o olho bom, liberalidade e misericórdia.

Ouro, realeza e poder (Gn 41.42).

Palmeira, palmas, realeza, vitória, prosperidade (Jo 12.13).

Pão, pão da vida, Cristo; alimento; meio de subsistência espiritual (Jo 6.35).

Pedras preciosas, símbolo de magnificência e beleza (Ap 4.3; Êx 28.17; Ez 28.13).

Peixes, símbolo de governantes (Ez 29.4,5; Hc 1.14).

Pó, fragilidade do homem (Ec 3.20; Jó 30.19).

Pomba, influência suave e benigna do Espírito de Deus (Mt 3.16).

Porco, símbolo de impureza e gula (Mt 7.6).

Porta, sede do poder; poder (Jo 10.9).

Primogênitos, que tinham autoridade sobre seus irmãos menores; eram os sacerdotes da família e, consagrando-se a Deus, santificavam sua família;

cabia-lhes porção dobrada na herança. Simbolizam de certo modo a Cristo (Êx 13.13; Dt 21.17; Hb 2.10; Cl 1.12).

Púrpura, o poder real, o poder romano (Dn 5.7; Ap 17.4).

Querubins, símbolo da glória soberana de Deus, como alguns creem. Em Apocalipse, símbolo dos redimidos; segundo alguns, das perfeições de Deus, manifestas sob suas diversas formas (Gn 3.24; Êx 25.18,22; 37.7-9; 1Rs 6.23; 8.7; 2Cr 3.10-13; Ez 1.10).

Ramos ou *rebentos*, símbolo de filhos ou descendentes (2Rs 19.30).

Raposa, engano, astúcia (Lc 13.32).

Rãs, símbolo de inimigos imundos e impudicos (Ap 16.13).

Rocha, fortaleza, abrigo, refúgio.

Safira, verdade.

Sal, conservação, incorrupção, permanência (Mt 5.13).

Sangue, vida (Gn 9.4).

Sardônica, amor, ternura, pena, purificação (Ap 4.3).

Sega (*colheita, ceifa*), época da destruição (Jr 51.33; Is 17.5; Ap 14.14-18). A sega (messe, colheita) é também símbolo do campo para os trabalhos da Igreja, a conversão de almas (Mt 9.37).

Sete, número divino, por assim dizer; a soma de "três", que simboliza a Trindade, mais "quatro", que simboliza o Reino de Deus na terra, sendo portanto a união do finito com o infinito. O Deus-Homem, por exemplo, é representado pelos sete candelabros de ouro (Ap 1.12). Trata-se de um número que ocorre com muita frequência nas Escrituras (Ap 4.5).

Terremoto, símbolo de agitação violenta no mundo político e social (Jl 2.10; Ag 2.21; Ap 6.12).

Topázio, alegria do Senhor.

Touro (*novilho*), símbolo de um inimigo forte e furioso (Sl 22.12; Ez 39.18); os novilhos indicam o povo comum, e os estábulos, casas e povoações (Jr 50.27).

Trombeta, sinal precursor de acontecimentos importantes (Ap 6.6).

Urso, símbolo de um inimigo feroz e temerário (Pv 17.12; Is 11.7; Ap 13.2).

Uvas, as maduras, símbolo de gente pronta para o castigo (Ap 14.18); as recolhidas, símbolo de gente levada em cativeiro.

Vento, quando impetuoso, símbolo de conturbação (Sl 48.7); vento retido, símbolo de tranquilidade (Ap 7.1).

Vestiduras (*roupas, vestes*), denotam qualidades interiores e morais (Is 52.1; Zc 3.3); vestiduras brancas, símbolo de pureza, de santidade e de felicidade (Ap 3.4). Dar as vestiduras a alguém era sinal de favor e amizade (1Sm 17.38).

Véu, do templo, corpo de Cristo (Hb 10.20).

Videira (*vide, vinha*), símbolo de grande fecundidade e também de destruição (Jr 2.21; Os 14.7; Ap 14.18,19).

Virgens, símbolo de servos fiéis que não se mancharam com a idolatria (Ap 14.4, aec).

Lembramos que apenas se deve fazer uso dessas interpretações no caso de empregarmos as palavras esclarecidas em sentido simbólico, algo que sempre se descobre mediante o estudo e aplicação das regras apresentadas e explicadas ao longo deste livro.